욕망의 기록

욕망의 기록

발　행 | 2022년 08월 24일
저　자 | 李廷錫
펴낸이 | 한건희
펴낸곳 | 주식회사 부크크
출판사등록 | 2014.07.15.(제2014-16호)
주　소 | 서울특별시 금천구 가산디지털1로 119 SK트윈타워 A동 305호
전　화 | 1670-8316
이메일 | info@bookk.co.kr

ISBN | 979-11-372-9273-4

www.bookk.co.kr

욕망의 기록

이정석 적음

목 차

項羽本紀

시작할 때는 여기,
끝나는 곳에서 지금.

사랑

사랑은
지갑 속의 신용카드
긁으면 되돌아오는 영수증

밥 한 끼의 미끼를 걸어
듣고 말하기의 기술로 낚아내는
한 마리 물고기와 같은 너의 마음은

순수하지도 않고
영원하지도 않은
한낱 감정의 쓰레기통

쓰레기통에서 찾아낸
산산조각난 손거울을
다시 붙여보려는 현미경적 안간힘

끝에 남는 것은 단지
너라는 인간
그 자체

평행선

너와 나의 만남은 기찻길에서 시작되었다.
초여름 한적한 해수욕장 옆 깔아놓은 자갈돌 위의 선로,
그곳으로 내리쬐는 태양빛을 가득 담아내는 너를 나는 보았고
너를 가장 잘 이해하는 한결같은 소나무 맞은편에 가서 나는 섰다.
너와 나의 만남을 추억하는 그림은 사진첩 속 한 장의 기억으로 남고,
우리가 나란히 걸었던 그 길은 저녁 바닷가 어딘가에서 끝난다고 한다.

기차의 경적

파도소리를 머금은 수갈래의 별빛이 투명한 망막을 지나 마음 속 안개에
닿아 부서진다.

인간아

인간아

너 왜 그러고 사느냐
왜 그러고 사느냐

인간아
인간아

인간아 그러고 살면 안되느니라
인간아 그런건 이제 그만둬야지
인간아 그건 안되느니라
인간아 그러지 말아야 하느니라

인간아
인간아

욕망의 기록

섹스를 하고싶다

풀 잎사귀, 나뭇잎과 섹스를 하고 싶다
봄바람에 스쳐 실려오는 식물혼과 섹스하고 싶다

혼
혼을 느낄 수만 있다면

한 여인의 혼이 내 눈앞에 아른거린다
그 여인의, 實體같이 까만 두 눈동자에 담긴 혼
입술 끝 입꼬리올림근을 당겨 미소짓게 만드는 혼
시 같은 목구멍에서 흘러나오는 잔잔한 목소리
솟아나는 샘물

소녀에게 주어진 인생의 서사가 강물처럼 시작되고
흐름 속에 반짝이는 물결
물결이 물결을 치고 나간다

경계에 다다라 부서져가는 포말 위로
어둠은 텅 빈 곳을 검은 숲처럼 가득 채우고
공기를 뚫고 들려오는 한 늑대의 울음 소리가
깊이 잠들어 있던 혼을 불러 깨우면

천공을 가로지르는 빛줄기 따라
가만히 고개들어 시선을 고정시키니
정해진 궤도 위를 운행하는 달과
북극성을 향해 정렬한 별무리

환한 달빛은 수만갈래의 마음을 밝혀
두근대는 심장의 핏줄에 붉은 혼을 일으키고
미쳐버린 혼이 맺힌 흰 손가락 끝으로는
희망이 담긴 뭇 별들을 하나하나 가리킨다

11

꿈을 외치고 사랑을 토해내던 밤이 만리성같이 지나고
동 트는 하늘 속 달과 별이 풀 잎사귀 위 푸른 이슬방울에 녹아들면
태양 아래 대지에는 색색깔의 생명들이 제각각 자신의 모습을 드러내니

아아,
천명을 안 자, 그 인생이 짧기도 하구나.

하늘아래 펼쳐지는 비밀의 드라마
아름다움으로 가득 채워진 시공간의 틈들
눈물이라는 진리!

자화상

나는 희망이 꺼진 성화
산소를 들이마시는 핏덩어리
끈적거리는 액체는 몸속을 휘젓고
안팎에는 온통 검은 질병

나의 기억을 시험하는 죄악은
너덜너덜해진 공포를 머리속에 구겨넣고
닳을 대로 닳아 버린 성기의 말단은
뇌의 신경 사이에 미친 터널을 뚫는다

대도시 지하를 돌고 도는 개미떼를
힘없이 바라보는 맹목의 눈동자엔
그들이 왔던 곳의 눅눅함과
갈 곳의 메마름이 비추고

미뢰를 적시는 쓰디쓴 일상은
종이 위 아라비아 숫자로 변화해
0과 1이 늘어선 이진수가 흘러가듯
저 건너 흑암으로 달큼히도 넘어간다

불세출의 따라지 인생을 따라서
모험의 항해를 떠난지도 어언 십 년
소년은 작살을 던지는 잔인한 꾼이 되어
예쁜 고래의 심장을 수도없이 꿰뚫었다!

지금 소년 앞에 놓인 거울 속에는
낯선 남자가 하나 서서 소년을 바라본다
남자에게 추억이나 꿈은 허락되지 않은 채
罪人의 형상으로

눈물로 만들어진 가면을 소년의 얼굴에 가만히 대어 본다.

298465372829395828372384928375574543275234765209478561347 13
294

나는 저 자연수를 적은 인류 최초의 사람이다.

이것이 바로 예술!
정말 이것이 예술?

29846537282939582837238492837557454327523476520947856134713
294

나는 살고 있었다. 살고 있었다. 나는 살지 않고선 살 수가 없었다. 살지 않고선 도저히, 도저히 살 수가 없었다. 그래서 난 살았다. 살아 있다. 살고 있다. 산다. 나는 살 수 없을 정도로 살아있을 때까지 살 것이다. 사는 것이 너무나도 생생하여 살 수 없어질 때까지 살 것이다. 나는 그러므로 살 것이고 살아 있을 것이다. 나는 삶이다.

물질과 더불어 음소거된 아답터에 가능성 없는 문학적 코끼리의 파워 주
자학 또는 로얄제리의 손톱이 쌀로빚은 변증법적 분홍 속 다수의 프롤레
고메나

달 달 무슨달
쟁반같이 둥근달
어디어디 떴나
남산위에 떴지

사는게 뭔지

오리배 동동 띄운 호숫가에
팔천미터 상공에서 빛처럼 추락하여
눈 감았다 뜨면
아무 것도 없었으면 좋겠다

그
그
그

두려운
공포에
적응될 만도 한데
더이상 떨면 안되는데

17

사랑하는 사람

사랑해
사랑해
사랑해

네 눈을
바라보고 싶어

우리 다시 만날 수 있다면

눈물이 흐르면

흐르는 눈물을 그대로 두어라
파란 하늘만 보이는 세상에서
눈물이 빛을 받아 반짝이게 하라

투명한 눈물너머 하늘나라가 비치고
영원에서 찾아온 소 울음소리 영원으로 떠나
가니

0.

1.

사는게 뭘까
물음에 웃음짓고

희망을 물으매 눈을 돌려 흘린다

예 의 염 치 없이 산 세월 후회하니
머리 속에 가득 찬 것 버릴 것일 뿐이구나

2.

기억은 나의 해방자요
꿈은 나를 못박는 십자가

삭아스러질 풍경 새롭고
도심 속 봄기운 완연하매

꽃 질 날 생각하니 해 질 무렵 반갑고
옛 사람의 그림자는 길게 늘어져 부끄럽기만 한데

홀로 된 심사 방울 방울 떨어지니
봄비는 아스콘 길을 촉촉이 적신다

세인들의 마음을 내 모르는 것 큰 일 아니요
오로지 어버이 마음 모르는 것이 큰 일이라

다시금 찾아오는 기억은 나를 쾌락케 하는 환영이요
황홀은 먼 곳에서 시간을 타고 찾아오는 음악의 선율

뛰어내릴지어다 모든 봄꽃들아

꽃잎 닿은 자리마다
열락의 아지랑이 어지러이 피어날지어니

3.

칠하고 칠해도 끝이 없는 그림판에
여백이라는 마음을 가득 채워도 모자란 광활함에

날아가고만 싶네 그 비어있는 허공 저 먼 끝의 끝 보이지 않는 저 머나먼
우주 그 별나라 너머 외계인도 모르고 김치찌개도 모를 곳으로

그곳에 나와 함께 있을 것은 아마 보물단지에 가득 담긴 피아노 악보

귀가 멀어버린 음악가가 자신의 음악을 듣지 못해도
맹인 가수가 청중의 시선을 온몸으로 받는 어둠 속에서

수리수리 마수리 수수리 사바하
수리수리 마하수리 수수리 사바하

낭랑한 목탁 소리 메아리치는 목청 소리

탈출 불가능한 스페이스 쉽에 탑승한 우주인의 작은 몸짓으로 남은 키리
에 –

4.

물이 흐르고
피가 거꾸로 솟고

용암이 되어 흐르는 마그마는 식어 바위가 되네

물이 흐르고
땅이 뒤틀리고
파동이 된 지진은

네 마음 속 깊은 처소를 흔들고

또 물이 흐르고
바위가 깎여 모래가 되고
모래는 층층이 쌓이고

층 사이사이 너도 나도 드러누워 관짝 안의 미이라가 되었는데

저 머나먼 그 옛날 만들어진 밀랍 인형의 심술을 알아내려는 고고학자와
그 고고학자의 아내
또 그들의 아들

그 아들이란 학생이 문명이란 제목의 게임을 온하루종일 하는 코로나가
유행하는 서기 2020년의 어느 봄날

학부형의 마음은 깊은 땅 속에서 부글거리는데

금강 하구둑으로 흐르는 물은 보에 가두어져 고요하고
중년의 피부처럼 날은 가물어 가 어스름 달을 그리워하고

5.

하나 둘 셋 넷

다섯

그리고 백 스물 하나

더 살아서 뭐 하나 하는 한숨에

불러주는 이 없는 외로움에

갈라지는 피부와 목소리

오직 문자로 된 언어만이 온전한 꼴로 존재하는

한 늙은이의 어떤 하루

손님처럼 슬그머니 찾아오는 밤이면

안식처럼 찾아오는 두려움

내일 내일 내일을 위해 사는 靑春이여

빛을 잃지 않을 내 人生이여

하루하루 빨라져만 가는 지구의 자전

한 해 한 해 궤도이탈이 두려운 지구의 공전

6.

살아가는 이유를
아는 이유는

살아가는 이유를
모르기 때문

말이 되지 않는 말을
하는 이유는

살아가는 이유를
모르기 때문

내일 할 일 정해두지
못한 까닭은

살아가는 이유를
모르기 때문

나 보기가 역겨워
가실 때에는

살아가는 이유를
모르기 때문

7.

훈훈풍풍에

멀리나는 고도리

날갯짓 훨훨

사계

봄날 (지나가면)

여름철 (오고)

가을 (뒤에)

(찾아오는) 한겨울

"역전 앞"의 한국어

前日 = 과거
앞날 = 미래

"전에 잘못했어도 앞으로 잘하면 되지!"

태풍

내가 사는 집의 옆 집이던가 그 옆옆 집이던가
아니면 그 옆 집의 윗 집이던가 아니면 그 아랫집의 옆 집이던가

남편 몰래 바람피우는 유부녀 오늘 밤도 쾌락에 젖을 생각을 하네
밤바람 일렁이는 호숫가 벤치에 젊은 애인을 만나
고상한 문학 이야기를 나누는가 싶더니 이내 붉은 입술을 포개어 버리네

밤이런가 밤이런가 이런게 밤이런가
낯선 남자의 품이란 이렇게 흠뻑 젖어도 좋을 비바람이던가
바람 지나가면 또다른 바람 불고 물에 젖은 쾌락의 동심원은 점점 커져만
가고

청포도 딸기와 같은 상큼함이야 아리따운 처녀시절의 풋풋함으로 다시 태
어나
귓전에 속삭이는 달콤한 말소리는 목구멍으로 넘어가는 넥타르와 암브로
시아로 변하는데
미의 여신 아프로디테는 전쟁의 신 아레스를 침상으로 이끌어 함께 선악
의 과실수를 따먹고

밀회를 마치고 돌아온 집구석은 태풍의 눈처럼 고요하다네
바람은 언제 또 불어 오려나
언제 또다시 태풍의 눈 밖으로 나가 정신 나간 미친 비바람에 흔들리며
춤을 추려나

악마와 유혹에 빠져드는 짜릿한 쾌락은 그녀의 몸을 지구 바깥으로 탈출
시켜 우주 사이를 유영케 하고
저 멀리 별나라에 가버리고 마는 그녀의 혼은 타는듯한 태양빛을 받으며
멀리멀리 멀어져가는 태풍의 눈을 바라보네

가정에 묶인 주부는 이제 없고
윤락倫落 의 생활만이 여기 있구나
천국이 그녀에게 그리 멀지 않으니
천국으로 향하는 통로에 바람이 불 때마다 피리구멍은 하나님을 외치나니

1.

사랑이 무엇인지 나는 모르네 모르네 모르네. 사랑이 이 세상에 있는지 그것이 있다면 어느 곳에서 피어나는지. 혹시 이에 대한 답을 그대들은 아는가. 어쩌면 사랑은 세상 바깥에 존재하는 101호 원룸의 네 겹 이불 위에 있을지도 모르지. 사랑은 23분 동안 홀짝이며 마시는 커피 한 잔, 검은 액체가 들어가는 입 속에서 나오는 노래소리, 외국인 노동자들이 일하는 공단에 난 길을 걸을 때 찍히는 무형의 발자국 같은 것이다. 비가 내리는 날 나는 한 여자를 사랑하여 내 기억속의 아득한 미래에 갔다 왔다. 희망이 없지만은 않은 그곳에서 우리는 함께하는 슬픔을 보았고 눈물이 가득 흘러 가슴을 적셨다. 욕설과 폭행은 곧 예술이 되었고 101호의 방안에서의 사랑은 한 줄 한 줄이 아름다운 시행이 되었다. 점토를 이용한 만들기가 귀여운 코끼리의 분수가 될 때 양아치의 진실과 숙녀의 위선이 서로를 안고 안기었다. 수직으로 만나는 교차로에서 가야 할 길을 가늠하는 자는 갈대와 같은 마음을 가진 여인이었고 병든 수캐는 그녀와 함께 이리 저리 부유하는 뗏목 위에 올라타 격류를 거슬러 올라갔다. 봄이 되어 산에는 꽃이 피고 아름다움의 가치는 색과 향기와 아스라한 흔들림으로 분화되어 다른 더러운 것들을 감추었고 희망 없는 판타지의 디스토피아는 천국 꼭대기의 한 점으로부터 시작되어 여름비처럼 쏟아져 내렸다. 진짜인지 가짜인지 모를 그녀의 이름은 H.M., 내가 그녀에 대해 아는 것은 그녀의 눈동자에 차오르던 눈물 뿐. 만약 그녀가 흘린 그 눈물마저 거짓이었다면 나는 그녀의 무엇을 믿어야 하는가. 그 눈물의 의미가 무엇인지는 그녀 자신도 확신하지 못하지 않았을까. 그녀는 그 눈물을 흘리며 나에게 이렇게 말했다. "할 말이 없어질 때 눈물이 나와." 나는 그녀의 그 말을 듣고 이렇게 대답하였지. "야, 이제 가라." 가슴이 애려오는 그 대사를 따라 그녀는 가방을 등에 매고 천천히 일어섰다. 그렇게 일어나서 101호 문을 열고 빠져나가는 그녀의 뒷모습은 과연 거짓이 아닌 진실이었다. 흰 셔츠는 레깅스의 엉덩이 라인을 감추었고 천변을 사뿐사뿐 걷곤 했던 그녀의 두 다리는 생기를 잃고서 서두르듯 그곳을 빠져나갔다. 문은 살짝 닫히고 잠금장치는 자동으로 걸쇠를 걸었다. 아, 우리가 서로 싸웠던 것은 무슨 이유였을까. 그것은 내가 전에 갈구해 마지않았지만 이제는 죽음의 금기로 정해진 그녀의 체온을 더 이상 느낄 수 없게 되었기 때문이었을까. 그녀가 떠나고 난 방은 삼국시대를 살다 간 염치없는 천민의 시체가 누워 있는 귀족의 묘실 같았고 현관문으로 나누어진 두 우주에는 각각 끝을 알 수 없는 공허감만이 잿빛 어둠으로 깔리었다. 비야 내려라 비야 내려라 우주 끝으로부터 땅을 뚫고 들어가는 빗방울아 빛의 속도로 쏟아져 핵폭발을 일으켜

라. 세상은 멸망하고 어디서부터인가 날아온 먼지 하나 속에 또다른 우주가 탄생할 것이니 H.M., 나의 천사인 그녀와 또 그녀와 다툰 사탄으로 존재하는 나는 이제 그 속에서 더러운 병균이 되어 태양 속에 들어가 빛날 것이다. 후회는 없어, 아쉬움도 없어, 공허함도 없어, 충만함만이 존재해, 새로운 우주, 태양이 빛나는 거대한 하수구 속에는. 미련하기도 하지 너는, 너는 아이큐 칠십의 저능아지. 죽고 싶지 않다. 단지 싸우고 이기고 싶다. 우월한 위치에 서고 싶다. 보고 싶다, 보고 싶다, 보고 싶다, 쓰다듬고 싶다, 때리고 싶다, 욕하고 싶다, 경멸하고 싶다, 그리고 한 번 해보고 싶다. 한 번 더 하고 싶다. 또 하고 싶다. 하고 싶다 하고 싶다 하고 싶다. 성적 향유와 부를 마음껏 누리는 암컷을 질투하던 무기력한 수컷과 수컷들의 끝없는 폭력에 시달려 증오를 가득 품은 암컷의 사랑은 한쪽은 기만과 속임수에 넘어가는 가련한 바보의 어리석음이요 또 다른 한쪽은 상처와 눈물로 얼룩진 지혜로움이었으니 그 둘을 결합해주는 말은 어쩌면 무덤덤한 아픔이 적당할 것이다. 세월 지나 시간이 한 바퀴 돌아 다시 이 시간을 마주치게 된다면 그녀는 이렇게 말하리, 그것은 사랑이 아니었다고. 그리고 글을 쓰는 남자는 그녀는 자신이 모르는 사람이라고 잡아뗄 것이다. 양자의 말은 각각 참인 명제인데, 실제로 그것은 사랑이 아닌 전쟁이었고, 그는 그녀를 기억하지 못하고 코앞에 두고도 알아보지 못할 것이다. 과거와 미래는 파편으로 흩어져 혼재되어 존재하고 그것은 단 하나의 가능성이 굳어진 암석이 되어 땅밑으로부터 하늘까지 우뚝 솟아 아마 그 꼭대기에는 증오의 횃불이 활활 타오르고 있지 않을까. 그 생각만 하면 나는 벌써부터 죽고싶은 생각이 든다. 싸우기를 피하던 두 사람이 만나 왜 싸우게 되었을까. 깨진 하트 속에서는 증오의 검은 물이 흘러내려 흰 종이를 적신다. 그러니 얼마나 두려운 일인가, 이 글을 작성하는 못된 마음과 그것이 부를 피의 복수가...

2.

미래의 어느 시점에 그녀가 나를 죽일 수 있을까. 내 생명을 100% 절단 낼 수 있을까. 나는 그녀에게 죽어야 하는데 그녀가 나의 가슴에 증오의 칼날을 박는 대신 부드럽고 따뜻한 피부를 가져다 대면 어떡하지. 나는 죽게 될 수 있을까. 내가 그토록 바라던 죽음이 찾아올 수 있을까. 내가 죽으면 그녀는 진실된 눈물을 흘릴 수 있을까, 아니면 그 때 흘리는 눈물 또한 거짓의 성분이 섞여 있을까, 아니면 눈물 같은 것은 그녀의 눈에서 나오지 않는 것일까. 미래는 어떤 고통이 기다리고 있을까. 죽음의 순간 그 고통의 크기는 어느정도일까. 사실 지금의 나 또한 죽어가고 있다. 나는 죽어가는 일분일초가 괴롭디 괴롭다. 그녀는 지금 어디에 있나, 그녀는 어디로 가버렸나, 어디 있을까, 나는 왜 그녀의 뒤를 쫓지 않았나, 나는 이제 외로운데 너무나 외로운데 그래서 아프고도 애린 마음으로 이 글을 쓰고 있는데, 그녀에게 사죄하는 방법은 내가 죽는 수 밖에 없는데, 나는 바보스럽게 여리고 섬세한데, 상상하는 것만으로도 울음이 터져나오는데, 왜 나는 여자가 남자에게 맞는 장면만 떠올리면 눈물이 흘러나오는가, 그 장면을 보면 눈물이 나오는가, 나의 성감대는 페니스가 아닌 눈물샘이다, 눈물샘이 자극되어 눈물이 흘러나올 때 나는 쾌감을 느껴, 그리고 귀두 끝에서 정액이 분출될 때 나는 사랑을 느낀다. 여기건 저기건 물이 흘러나오면 그곳에는 힘이 빠진다. 나는 악마가 되어버린 것 같다. 너무나 약한 악마가 되어버렸다. 나는 힘없는 악마다. 여기저기 물이 흘러나오는 악마, 악마의 몸 곳곳에서 힘이 빠져나가 흐느적거린다. 머리 속에는 몸 파는 여자 생각밖에 없고, 여자가 때리고 발로 차면 고스란히 얻어맞는 악마. 왼 뺨을 맞으면 곧이어 오른뺨을 들이댄다. 두 눈을 부릅뜨고 자신을 벌하러 하늘에서 온 자를 바라본다. 습관이 되어버린 우울이 악마의 거주지인 지옥을 안개처럼 가득 채우고 부드러운 이불 속에서 악마는 지금 이 글을 작성한 이후에 너무나 큰 절망감에 시달릴 것이다. 지금 나는 물을 한 모금 마시고 삼각김밥을 먹는 상상을 한다. 그것으로 갈증과 배고픔이 상상적으로 해소된다. 단 것을 먹는 상상은 상상적 행복감을 가져다 준다. 그리고 실제로 이마트24에서 판매하는 생초콜릿, 그것은 실제로 존재하는 생크림을 초콜릿과 섞은 것이었지. 그것을 먹는 내 입에서는 입냄새가 심하게 난다. 그녀는 아마도 내 입과 혀에 자신의 입을 가져다대기가 역겨웠을 것이다. 입맞춤을 하기 전 초콜릿을 사서 내 입에 집어넣어준 것은 아마도 그런 이유때문이었겠지. 죽고싶다. 냄새나고 더러운... 죽고싶다. 그런걸... 아... 나는 정신분열증 진단을 받은 적이 있다. 미쳐서 생각을 오래 했었고 결국엔 땅에 내동댕이쳐졌다. 패배는 언제나 나의 몫이었다. 가장 약한 악마가 천국의 하나님 목을 따버릴 생각을 한 것이다. 그 피로 축제를 벌이는 상상을 했던 것이다. 그 상상만으로도 악마의 머리 속은 환희로 가득 찼다. 이제 나는 모든 이들의 경멸을 받는다. 나 또한 모든 이들을 경멸한다. 절대적으로 비대칭인 경멸을 피해 숨을 곳을 찾았지만 그럴 때는 상상속의 존재들이 나타나 나를 경멸한다. 나는 나를 둘러싼 경멸의 시선과 싸우는 중이다. 응, 나는 죽어야겠지. 죽지 않고 살아 있는 것이 죄지. 그러나 아무도 나를 죽이지 않는다. 죽일 가치가 없는 것이다. 대신 모든 사람들이 내가 내 스스로 죽기를 기다리고 있다. 그래, 죽어버리는 거야. 이 글을 모두 작성한 이후에 나는 죽어버리는 거다. 내가 스스로 목숨을 끊으면 나를 경멸하던 자들이 그 경멸의 정도를 조금은 줄이지 않을까. 나의 명예가 약간은 아주 약간은 아주 아주 약간은 회복되지 않을까. 나 뿐만이 아니라 내 부모님의 명예 또한 말이다. 내가 죽어야 하는 당위는 차고도 넘친다. 하지만 사실과 당위는 일치하지 않는다는 것이 통용되는 상식 아닌가. 나는 당위를 지키지 않을 것이다. 나는 내 인생을 25살까지 해야하는 것을 하면서 살았다. 26살부터 당위 같은 것은 무시하고 마구잡이로 살았다. 내가 하고 싶은 대로 재미있는 것을 하면서 아무렇게나 막 살았다. 그리하여 내 인생은 고속도로를 내리막으로 내달렸고 사람들은 그런 나를 두고 정신병 낙인을 찍었다. 나에 대한 말들을 뒤에서 대놓고 지껄여댔다. 나는 죽음과도 같은 긴 터널을 어떻게 지나왔을까. 터널을 지나오면서 행복이라는 궁극적 가치는 내 머릿속에서 사라졌다. 행복을 추구하는 사람들은 잡히지 않는 허상을 평생동안 좇으며 그렇게 살라지, 나는 행복 대신 순도높은 불행을 추구하겠다. 이제 나는 사람들이 말하는 법이나 이론 같은 것을 철저히 무시해버리고 싶다. 아예 그런걸 보지 않고 잊어버리는 거다. 그리고 크게 외친다. "세상 사람들 씨발 다 엿이나 먹으라지! 엿처먹어라 망할 세상 씨발놈년들 새끼들아!" 세상 사람들에게 엿을 처먹이고 싶어하는 나는 내 자신 스스로에게도 엿을 먹인다. 그것은 아주 달콤한 엿이다.

3.

죽어버리고 싶다. 달콤한 엿을 수도없이 처먹고 당뇨병에 걸려버리고 싶다. 아마 지금도 나는 당뇨병 환자일지도 모른다. 병원에 가서 종합검진을 받은 적이 언제인가. 내 어림짐작으로 나는 약 80%의 확률로 당뇨병에 걸렸을 것이다. 20%는 당뇨병에 걸리지 않았을 확률이 있다. 그녀를 보고 싶다. 병에 걸린 나를 그녀가 발로 차고 때렸으면 좋겠다. 나는 병에 걸려서 말라죽어가는데 그런 나를 계속 팼으면 좋겠다. 처맞고 싶다. 다른 사람은 나를 때릴 권리가 없다. 오직 그녀만이 나를 팰 권리가 있다. 그녀가 내 싸대기를 때려 귀가 윙윙 울릴 때 나는 사는 맛이 난다. 지금 이 글을 쓰는 것은 너무 루즈해. 그녀가 이곳에 나타나서 나를 패줬으면 좋겠어. 모르겠다. 미래가 너무 무섭다. 최악의 고통이 기다리고 있는 것만 같아. 개같이 질질 끌려다녔으면 좋겠어. 자기가 끌고다니던 개를 죽이지는 않겠지. 그렇겠지. 쳇, 해는 왜 떠있는 거람? 죽어라, 죽어라, 죽어라. 해야 죽어라! 나만 죽을 수는 없지, 다 같이 죽자, 그런데 나는 다 죽일 힘이 없으니까 해가 사라졌으면 좋겠다. 칠흑같은 밤만이 지속되는 세상 속에서 사람들은 하나둘 죽어가겠지. 아비규환의 지옥도가 펼쳐지는 것이다. 모든 것들이 하나하나 사라지고 최후의 순간에 존재하는 것이 가장 큰 공포를 느낄 것이다. 오래 산 죄! 그것은 공포로 돌아온다. 가장 마지막까지 남아있는 자는 아마 신과도 같은 존재일텐데, 그가 가장 큰 공포를 느낀다니 역시 신적인 존재는 좋은 것이든 나쁜 것이든 그에 해당하는 것의 스케일이 큰가 보다. 약하디 약한 나는 공포따위는 느낄 겨를 없이 살해당할 것이다. 죽는건 좋은 거야, 그것도 일찍 죽을수록 좋은 거야, 생각을 잠재워 놓고 고통없이 죽는 안락사야말로 가장 좋은 죽음이지. 무한한 신과같은 정신으로 죽음을 생각하면 머리가 미쳐버리고 말거야. 미친다니까. 나는 미친 새끼였고 그녀는 미쳤다고 주장하는 여인이었다. 그런데 아무리 생각해도 나는 그녀가 나를 가지고 논 것 같다. 나는 노리개일 뿐이었지, 그렇지. 노리개였어. 그건 사랑이 아니었어. 다 거짓이었어. 하나부터 열까지. 정해진 레파토리 준비된 멘트 실수를 가장한 고의. 이런 인식에 도달하고 나니 글을 쓰기가 싫어진다. 그녀는 나를 조종할 수 있다. 관계를 할 때 싸게 할 수도 있고 못싸게 할 수도 있다. 그것을 그녀가 관리하고 결정내리고 유도한다. 나는 거기에 끌려간다. 경험많은 암컷과 약한 수컷의 결합이다. 나는 여자를 때리지 않기 때문에, 거칠게 하지 않기 때문에... 그 때문에 그녀는 나를 얕보고 무시한다. 자기를 수도없이 패던 남자보다 훨씬 약한 남자라는 거다. 상남자가 아니라 찌질한 전따를 상대해준다는 거다. 전따에게는 섬세하고 착하다는 긍정적 상찬을 붙여 준다. 넌 약하지만 참

섬세하고 또 착하잖아... 그런 나를 내려다보고 표용하는 그녀는 참으로 은혜롭기도 하지, 쩐따를 안아주는 그 드넓은 마음이란... 물론 그것은 레벨 1의 캐릭터를 자기 마음대로 가지고 노는 것이지만. 이런 생각을 하는 나는 왜이리 혐오스러운 사람일까. 날이 갈수록 추해지는 것일까. 이제 살아서 뭐하지, 글 쓰는 것도 그다지 재미가 없는데. 그렇다고 다른 것이 막 재미있지도 않은데. 이제 좀 맞고 싶다. 나는 쳐맞아야 할 것 같아. 맞아서 기가 꺾여야 할 것 같아. 푹 고꾸라져서 쓰러져야 할 것 같아. 힘없이 저 바닥으로 그 바닥 아래로 더 아래로 아래로 그 아래로 아래로 계속, 지옥의 밑바닥의 더 아래까지 그 아래의 아래의 아래의 아래의 아래의 아래의 아래의 아래의 아래의 더 아래의 아래의 아래의 아래 아래 있는 아래의 더 아래 그 밑의 또 밑의 밑의 아래에 있는 밑 아래까지.

2019.06.10. 03:45:29 전라북도 군산시 오식도동

2019.06.08. 오후 6:45

회망은 언제나 내 앞에 잠시 반짝였다 이내 검은 빛으로 물들었다.
내가 할 수 있는 일은 아무것도 없었다.
스스로 목숨을 끊을 수도 없는 나는 무력하게 타자를 치고 있다.
이것이 내게 남은 마지막 일이다.
끝이 다가오기 전에 구조받을 수 있을까.

惡靈

1.

마음은 먼 곳으로 가고 가서 멀어지고
삶의 기억은 춤추는 인형이 되어 또 가고 멀어져 가네
날 아는 사람 있는가 내 이름은 수림
산골짜기로 숨어든 도사의 이름 이어받았네
살고 살고 살고 지고 지는 노을 바라보고
머지 않았도다 마지막 기억 그 흔들렸던 검은 눈동자
너와 나는 헤픈 웃음을 공유하였으니 그것으로 된 것 아닌가
그렇지 않나 친구여
나의 선량한 친구여

2.

미안해하지 말라
운명이다
운명이 그러하였으니 그 핏빛 하늘의 저주를 어찌 풀랴
원한은 그늘진 언덕 밑을 한 바퀴 돌아 꽃 향기를 스쳐 지나니
아 운명이여 너는 나에게 말을 건네는구나 저 멀리
풀포기의 떨림을 보라고
거기에는 법도도 없고 말도 있지 아니하네 이름을 붙여주는 마음 또한 없
으니
흐르는 것이 흐름이고 흐르고 오르네 올라 가서 빙 빙 에우리 도니
아 구름이여
구름이여
세상에 어둠이 내리고
나는 그리스도 사제의 옷을 벗었도다
이제 너는 무엇이 되려 하느냐 어디로 발걸음 옮기느냐 진리를 잃고 방황
하는 자여 사악한 영이 세상에 떠도네
하늘 위를 빙 빙 도네
아픔은 아름다움이어라 슬픔도 아름다움이어라 눈물 또한 아름다움이어라
어둠을 헤매는 자여
등불을 밝히어라 작은 촛불을 밝히어라

3.

말을 말라
더이상 말을 말라
나에게 말을 말라
나는 이제 너의 말을 듣고 싶지 않다
그만 두거라
저리 가거라
가서 오지 말거라
가거라
가거라
가서 그 자를 죽이거라
죽이지 못하거든 살아 돌아오지 말라
너에게 나의 검을 주나니
그 자를 죽이지 못하거든
살아 돌아오지 말라
영원히 떠나거라
나의 원수여 사랑이여 마리아 그래 나의 마리아
내가 사랑했던 마리아
사랑했던 마리아
나의 사랑
마리아
마리아여

4.

저것은 개가 아닌가
개가 아닌가
묻는다 개가 아닌가
아니네 사슴 같기도 하고 말 같기도 하네
그렇지 아니하네 저것은 개도 아니고 사람도 아니네
저것은 무엇인가
저것은 아무 것도 아니라네
잠시 여기 머물다 가는 아무 것도 아니라네
저것은 아무 것도 아니다
아무 것도 아니다
그래 아무 것도 아니다
그렇지 아무 것도 아니다
시체도 아니고 뼛가루도 아니네
살점도 있지 아니하고 핏자국 또한 없네
저 산 골짜기 안 숲 길의 낙엽 그 아래 땅 밑에
아무 것도 있지 아니하니 사람들은 이곳에 올 필요가 없습니다
이곳은 아무 것도 있지 아니합니다
돌무덤도 돌무지무덤도 석곽도 있지 아니하고
악한 령도 있지 아니합니다 십자가도 꽃도 있지 아니하고
사랑하는 마음도 있지 아니합니다
이곳은 빈 집입니다
아무나 와서 기도를 하면 됩니다
이곳에 와서 기도를 드리면 새 사람이 됩니다
새 사람이 됩니다
새 사람이 됩니다
새 사람이 됩니다
새 사람이 됩니다
새 사람이 됩니다
새 사람이 됩 니 다 . . . :)

5.

너는 나를 아는가
너는 나를 아는가
너가 나를 아는가
진실로 너가 나를 아는가
너가 나를 안다고 할 수 있는가
너는 무엇을 아는가
너는 무얼 아는가
너는 나에 대해서 몰라
아무 것도 몰라
그렇게 우리는 함께 살았지
같은 집에서 살았지
그렇게 살았지
운명과도 같이 함께 살았어
인생 재미나지 않나
우리 인생 재미나지 않나
과연 우리들 중 누가 하나님을 믿었는가
누가 예수님을 믿었는가
누구의 믿음이 가장 독실했는가
교회 십자가에 배암이 타고 오른다 붉은 혓바닥을 낼름대며
배암이 타고 오른다
아 찬란히 빛났던 신전이여
면류관이 바스러지는 소리 들리지 않는가 저 먼지가 되어 날아갔지 않는
가 어디로 휘파람 소리에 담겨
저 멀리로 가버렸지 않는가
우리의 신이
하나님이
성경 안에 적힌 하나님이
어디로 가버리지 않았는가
성령을 믿사오며
거룩한 공회와
성도가 서로 교통하는 것과
죄를 사하여 주시는 것과
몸이 다시 사는 것과

영원히 사는 것을 믿사옵나이다
아멘

6.

하늘 위 또 하늘 있으니
하늘이여
악한 영을 벌하여 주옵소서
나 그리스도인의 이름으로 기도드리옵나니
저 악한 마귀를 쫓아내옵시고
벌하옵시고
주의 권능 다시 보이시옵소서
하늘이여
하늘 위의 하늘이시여
파란 하늘 위의 새카만 하늘이시여

7.

너는 악인으로 새 사람 되어 복음을 전하고 다녔으니
그 힘든 노고를 사 너에게 복을 내리겠노라
너에게 여자를 내리겠고 재물을 내리겠고 이 세상의 부귀영화를 내리겠노
라
그러니 나에게 진리의 칭호를 다오
나에게 진리라는 이름을 붙여 다오
나를 믿는다고 해 다오
나는 마리아
순백의 마리아니
나를 믿는 너에게 이 세상을 선물하겠나니
나를 믿는다 해 다오
나는 동정녀 마리아
이 처녀의 수태를 간곡히 기다려 다오

8.

주는 나를 기르시는 목자요
나는 주님의 귀한 어린 양
푸른 풀밭 맑은 시냇물가로
늘 나를 인도하여 주신다
누구일까 우리들의 양치기 목자
누가 우리 어린 양들에게 꼴을 먹여 줄 것인가
마음이 마음으로 마음에서 마음으로
마음이 마음으로 마음에서 마음으로
산허리 저 너머 저 멀리 검은 숲 속의 메아리
메아리쳐 울린다 너의 비명 소리
아 핏빛의 태양이여 너의 해맑음과 그 미소 아래
하나님의 자제인 우리 형제 자매들은
이제 어디로 가야 하는가
진리가 너희를 자유케 하리라
자유가 너희에게 진리를 주리라
아 가없는 자유 제한 없는 자유
모든 것이 허용된 이 세상 남은 것은 멸망 뿐이라
소오돔과 고모라의 불길 치솟아라 치솟아 올라 온 세상을 뒤덮어라
산허리 저 너머 저 멀리 검은 숲 속의 메아리
메아리쳐 울린다 양들의 비명 소리

9.

웃음을 잃지 말라
우리의 이웃 형제들이 죽어나가도
얼굴에서 웃음을 잃지 말라
장례식장에서 곡을 하지 말라
웃으라
떠들썩하게 웃고 떠들고 즐기라
우리의 이웃 형제들이 죽어나가도
언제나 평상심을 유지하고
얼굴에서는 웃음을 잃지 말라
내 명하노니 너희 고귀한 족속들은
언제나 웃음을 잃지 말라
웃고 웃고 또 웃고
미소지으라
최후의 심판관 앞에서도
언제나 그러하였듯이 결코 너희의 고귀한 품격과 또 아름다운 미소를 잃
지 말라
언제나 빛나는 태양처럼 언제까지나 미소를 지으라
망나니의 칼 앞에서도 웃고
십자가형을 당하여서도 웃으라
너희들이 형장에서 사라진 희생자들을 바라보며 크게 웃었듯이
그 앞에 가게 된 너희들은
너희의 바로 그 선량한 웃음을 언제까지나 잃지 말라

10.

사느냐 죽느냐 그것이 문제로다
신성모독극의 대단원의 막이 내렸다
가고 가면 또 갈 길 있고
하늘은 다시 푸르고 붉은 태양 떠 있구나
계절은 십이월 찬 바람 불어 오는데
아침은 내일도 올 것이요
내일 저녁도 오리라 믿으니
핏빛 글씨로 쓰여진 최후의 심판일은
한낱 극작가의 장난에 불과하였다
내일은 내일의 바람이 불고
모레는 모레의 바람이 부니
아 하나님의 조화는 공교롭기도 하다
천지우주가 모두 하나님의 뜻이로구나
내일은 내일의 잎새가 지고
그 다음날은 마지막 잎새가 지니
아 하나님은 무엇을 위해 이 추운 겨울을 예비하셨는가
감추어진 뜻 아는 자 희유한 존재로다
내일은 내일의 잎이 지고
내일의 내일은 내 사랑이 지니
아 애닲은 인생이여 그리 가고 마는가
너와 나는 존재와 인식의 짝이 되어 여기서 한바탕 춤판을 벌이는가
길은 길에 닿아 있고 또 길로 이어지니
바닷길 하늘길 온 지구에 길이 나 있으니
그 길은 영을 실어 나른다 성령과 함께 백신천신만신억조신을 실어 나른
다
강을 건너 가자 가자 가자
저 먼 언덕으로 가자
저 먼 언덕으로 가자
가자 가자 바다 건너 가자
우리 모두 오발탄으로 가자
가서 박혀 썩어 돌아오지 말자

사랑

널 사랑했던 걸까.
마음이 아팠던 걸까, 아니면 행복했던 걸까.
눈물 흩뿌리던 그 날 – 그 날이 이 세상에 생겨난 데에는 어떤 이유가 있었던 걸까.
두려움을 애써 잊으려는 신경증적 발작이었던가.
널 사랑했던 걸까.

무슨 이유인지도 모르게 눈물은 왜 자꾸 나왔던 걸까.
널 사랑했던 걸까.

널 사랑했던 걸까.

https://youtu.be/qGWZUtfV3IU

미련 때문에

세월은 가고
미련도 간다
가고 나면 다시 돌아오지 않으니
멀리 떠나 소식조차 전해듣지 못하니
떠난 길 잘 가고 있는가
가끔씩 그리워 하는 마음 그대는 아는가
종종 널 생각하는 사람 있다는걸 아는가
너무나 아팠던 너를 난 잘 알지 못하였다
잠시동안 가졌던 꿈이라든지 희망이라는 것
그걸 쫓아가는 나날들은 내게 행복이었네
그것이 행복이 아니면 다른 무어란 말인가
나는 이제 어느 어느 어느느를 떠돌아다니게 될까
삶이라는 약에 취해 하늘 위를 빙빙 도는 마른 영혼의 기운에 이끌려
파랗디 파란 하늘 아래
하늘 아래
부끄럼 모르는 소인배가 두 눈을 부릅뜨고 목놓아 널 부른다
나의 희망이었던 가녀린 사랑아 네가 남긴 자취 한량없이 부드러우니
언젠가의 회었던 긴 옷소매에 고요한 바람이 스치누나 스쳐지나가누나
희망을 잃지 않는 생명의 눈동자는 어디를 바라보느냐
영원토록
검게 물든 심장은 무얼 위해 뛰느냐

세상이

이 세상이 뭔가요?
한 아이가 물었다
그러나 그 질문을 듣는 이가 없었다
그의 물음은 세상 속의 어딘가에 조그만 씨앗처럼 묻혔다
그 씨앗이 썩어버리기 전에
토양에 빗방울 스며야 할 터인데
자라나는 떡잎 잎사귀에 따사로운 빛 비추어야 할 터인데
알 수 없는 수도 없이 많은 것들이 있다는 사실에 언젠가 마주할 것인데

하루 하루를 의미와 보람으로 채우는 사람이 행복한 사람이라고 나는 믿
는다
쾌락이란 건 끝이 없다고 한 여자가 내게 일러주었다

백악관의 주인은 도널드 트럼프라고 나는 믿고 있다
나는 개인적으로 도널드 트럼프를 좋아한다
그를 잘 알지는 못한다
미국 정치에 대해서는 더더욱 모른다
하지만 언론에 가끔씩 비춰지는 그의 파격적이고 유쾌한 언행이 좋다

少念漫筆

https://youtu.be/G8_DdClkhaw

봄의소리 왈츠

2021년 初, 겨울의 가운데에서 봄을 생각한다. 세 박자의 왈츠에 맞추어 꽃이 피고 싹이 돋으니, 오케스트라의 지휘봉의 뾰족한 끝이 마치 신묘한 조화를 부리는 마법사의 지팡이같다. 새로운 봄, 신춘을 맞이한 문학청년들의 가슴에는 붉은 심장이 뛰어 전신의 맥박이 그에 동조하니, 음악은 사랑으로 다가가 예술가의 마음에 생명을 불어넣는구나. 한가한 오후의 창문에 태양이 비추고 노년기 地貌의 산봉우리는 둥글게 깎여 있어, 우리들의 마음 또한 그처럼 편안무사하다. 건강이 영원하기를 기원하며 사랑과 기쁨이 넘치니, 오는 봄을 보라, 자라나는 초목이 인간 세계의 생활을 알겠느냐, 천지자연은 속세의 생사고락에 무심하니, 나와 우리와 그 밖의 모든 존재들에 영원한 것은 대저 무엇이더냐, 元 亨 利 貞 의 순환조차 영원치 않으니...

산 너머 남촌에는 어떤 이 살고 있을까, 어떤 이가 얼굴에 웃음 가득 띠고 봄날을 맞이할까, 활짝 피어나는 꽃나무의 華冠을 보라, 그 꽃나무 사이사이를 오가며 달콤한 꿀을 빨아들이는 벌과 나비들, 영원에 가까운 세월 우리 인간들과 함께 한 아름다움의 한 쪽 아니냐, 너도 나도 그리고 우리의 조상님들도 아름답다 여겼던 자연이 아니냐, 공교로운 인간의 예술보다 더한 자연의 미가 저 산 너머 남촌에 있지 않느냐, 그곳에는 희망도 절망도 잊어버린 한 어린아이가 천진난만하게 미소짓고 있지 않느냐, 어른들이 만든 동요를 부르며 아무 것도 모른다는 듯이, 전생의 자신의 모습은 잊어버린 채로, 미래에 대한 걱정 하나 없는 채 아름다운 동산에서 풀잎사귀를 손에 쥐고 그윽한 눈동자로 그 푸르름의 의미를 하얀 마음에 새기고 있지 않느냐, 그 찰나의 영원함이야말로 너와 나의 본래 모습이 아니더냐, 우리들이 손에 손을 잡고 되찾아야 할 순결함이 아니더냐, 아름다운 낙원에서 추방된 우리들의 마음에는 노란 손수건을 달아 놓은 깃발이 있어 언제나 우리들의 고향을 향해 나부끼고 있지 않느냐.

살아간다는 것은 너와 내가 누릴 수 있는 가장 큰 축복이 아니더냐. 희망과 절망 없이 지금을 산다는 것은 즐거운 음악과도 같은 일이 아니더냐.

시간 속에서 시간을 잊는다는 것은 우리들의 행복 중 그 이상이 없는 행복이 아니더냐. 아름다운 이여, 미덕을 정원의 꽃나무처럼 가꾸는 그대는, 선량한 벗들을 가지고 있지 않느냐, 그 먼 곳에서 소식 닿지 않는 벗들이 너의 입가에 미소로 번져 그 웃음 속에 섞인 순선한 정은 꽃향기가 되어 만리 너머까지 퍼지지 않느냐. 그리하여 사랑하는 이, 소식 들려올 때 그것은 삶과 죽음의 경계에 값하여 넘쳐 흐르는 보배로운 기쁨이 아니더냐, 사랑하는 이여, 우리의 사랑은 그렇게 이 광활한 우주에서 서로가 서로에게 기대어 가장 중요한 비밀같은 속삭임으로 살아가는 것이 아니더냐, 아,

음악에 실려 오는 나의 운명이여, 자연의 무심함을 초월한 나의 운명이여, 하늘에서 영원의 소리 들려오고 우리의 봄은 빛으로 가득차 해 뜨는 쪽으로부터 훈훈한 바람 불어온다. 연못 속의 물고기는 이제 무엇으로 바뀌려 하느냐, 날개를 활짝 펴 땅에 그림자를 드리우고, 그 그림자의 크기만큼 저 멀리로 쉬이 날아가는 것이 아니냐, 구백만리를 비행하는 알 수 없는 물음의 존재여, 양 나래 아래 스치는 훈풍에 실려 나는 네가 구름같은 하늘을 뒤덮고 훨훨 날아가 어디에 사뿐 내려 앉을 것이냐, 오호라 더 높이 그보다 더 높이 날아 오르려는 그대의 희망이 이카루스의 날개짓에 담긴 것이라면 그대는 그대에게 주어진 운명을 스스로 사랑할 수 있겠는가? 하늘이여, 그 끝없는 하늘 위에는 무엇이 있기에 우리를 더 높게 높게 띄우는 것일까? 아득한 높이에서 우리는 저 아래 보이는 아름다운 땅의 모습을 사랑하여야만 하지 않겠는가? 봄의 음악이 울려퍼지는 작은 언덕의 예스러운 꽃나비의 날갯짓을 사랑하여야 하지 않겠는가?

[大河長篇小說]
나그네

강나루 건너
밀밭 길을

구름에 달 가듯이
가는 나그네

길은 외줄기
南道 삼백리

술익는 마을마다
타는 저녁놀

구름에 달 가듯이
가는 나그네

제 1장 月雲

사람이 태어나 시간이란 개념을 생각하게 되는 때는 언제일까.
때 라는 말을 곰곰이 생각할 때 사람은 시간을 생각게 되는 것은 아닐까.
한 절에 머물던 승려가 언젠가 구름에 스치는 달을 보며 이러한 생각을
한 적이 있었다.

54

제 2장 時間

대방광불화엄경
용수보살약찬게
나무화장세계해
비로자나진법신
현재설법노사나
석가모니제여래
過去現在未來世
十方一切諸大聖
根本華嚴轉法輪
......

시간이란 무엇일까.
때는 무엇일까.
경우는 무엇이고.
조건은 무엇인가.

한 나그네 길을 걷다 찰나의 순간에
번뜩 깨달았다

무엇이 무엇인지는

「그때그때 달라요」

아름다운 이땅에ー 금수강산에ー 단군할아버지가ー 터잡으시고ー
홍익인간 뜻으로ー 나라세우니 대대손손 훌륭한ー 인물들 많아ー
고구려 세운 동명왕ー 백제 온조왕ー 알에서 나온 혁거세ー 만주벌판
달려라ー 광개토대왕ー 신라장군 이사부ー 백결선생 떡방아ー 삼천궁녀
의자왕ー 황산벌의 계백ー 맞서싸운 관창ー 역사는 ~~~

제 3장 과거로 보내는 편지

흐르는 물에 발을 담그고 조약돌이 물에 씻기는 것을 본다
태곳적 무언가로부터 역사가 시작되었으니 지혜자들 그것이 흐르는
강물과도 같다 여겼다
어디로 가버리는지 모르는 흘러간 물처럼 그렇게 역사의 인물들 어디론가
흘러가 버리니
미래를 아는 자 그 누구인가 저 계곡의 시원을 따라 가보는 자 있어도
바다에 가 닿은 자 수평선 너머의 세계를 가늠할 수 없었다
옛 역사의 인물들이여 그대 내 이야기 듣는가
끝이 정해진 우리의 역사 처음 시작과도 같은 종말로부터 거꾸로 거슬러
오르는
힘찬 연어와도 같은 새로운 시간의 흐름을 그대들은 아는가
내 목소리 들리는가 역사의 순간들이여 눈 깜짝할 새 지나가고 말았던
그대의 인생
별빛 보이지 않았다 전해지는 어두웠던 나날들
축축한 진흙땅과도 같은 삶의 전쟁터 온몸에 감겨드는 노곤한 피로의
하루 하루들
우루사와도 같은 곰 같은 호랑이 같은 우리 단군의 신화적 삶을 잃어버린
近代 의 막바지를 사는 우리
도시인들의 정신병리를 그대 아시는가 위대한 哲人으로 세상에 우뚝 섰던
그대
이름 없이 사라져간 수많은 聖者들...
우리 어머니 그리고 아버지
그리고 피로엔 복합 우루사
~大熊製藥~

「북빙양이 완전히 풀릴 때가 성숙이야
월경이 왔다 이렇게 되는 거야
그럼 지구가 머리를 번쩍 든단 말이야
지구가 반듯이 설 때는 보름이 그믐 되고 그믐이 보름이 되어 버려
윤달 윤일이 없어져 버려
왜 그런고 하니 적도 환도가 기울어져 있던 것이 반듯하게 되거든
그때 그 시기에는 세계적인 해일, 세계적인 지진이 와요」

제 4장 吞虛

사교 회통의 미래학 :
간산사상艮山思想

「클라이밋 크라이시스가 플래닛 어스를
하나의 스페이스 쉽으로 만들고 있다」

제 5장 道

언젠가 어느 고을의 奴와 婢
자신의 고향에서 도망을 결심하다.

소문으로만 듣던 저 먼 고을을 찾아서

길을 떠나다.

도중에 묻다.
「여기가 어디일까」

어떤 사람에게 묻다.
「길을 아십니까」

어느 삼거리 작별의 순간을 맞이하다.
「각자 갈 길 가자」

길을 걷고 걸어 끝내 쓰러질 듯 도달한 곳 어느 바닷가.
해질녘 쉽게 살아온 한 인생 이야기가 三千浦에 가서 빠지다.

저 바다 아래 용궁도 아닌 어딘가 그 어딘가 그러나 잘 모르는.
三千大千世界... 그 어딘가... 그곳의 화려한 궁전에 三千의 궁녀들이
살아갈는지 道 −

모르는.
너무나 행복한 나라의 王과 妃를 꿈꾸며 . . .

그리고 또다른 어딘가에서 들려오는 목소리

「道를 아십니까」

제 6장 단테의 인페르노

「슬픔의 나라로 가고자 하는 자, 나를 거쳐가거라
영원의 가책을 만나고자 하는 자, 나를 거쳐가거라
파멸한 사람들에 끼이고자 하는 자, 나를 거쳐가거라
정의는 지존하신 主를 움직여
성스러운 힘, 최고의 지혜, 그리고
태초의 사랑으로 나를 만들었노라
내 앞에 창조된 것이란
오직 無窮이 있을 뿐, 나는 영원으로 이어지는 것이니라
나를 거쳐가려는 자는 모든 희망을 버릴지어다」

— 미래의 어느 디파트먼트 스토어 앞에 적힐 법한 문구 —

제 7장 개미와 벌의 전문가 路

세계 최고 개미학자이자 사회생물학자 에드워드 윌슨에게 사사한
崔 在天 박사

한국에서 베르나르 베르베르를 베스트셀러 작가로 만들어 준 소설 제목
『개미』

Evolution과 進化
退化되어 흔적기관으로 남은 인체의 꼬리뼈 coccyx ?!

석박사 과정을 [밟는] 全 世界 의 수 많은 학자 지망생들의
앞으로 가게될. 길. 또는. 밟게될. 경로. 고속도로처럼. 뚫린. 탄탄. 대로.
또는. 마주할.

장애물.
우리 시대의 難題 :

대학원생이라는 이름의
아포리아

종장 杞憂의 숨겨진 역사

戰國을 통일한 秦의
王
皇帝 에 登極 하다

極은 天과 닿아 있어
天命을 받드는 儒林의 무리
황제의 不德을 論하다

杞 나라 땅에서 흘러든 한 유학자
하늘이 무너질 것을 땅이 꺼질 것을
근심하는 이야기를 都城에 유행시키다

始皇帝 其杞人에게 命하다
「흙을 깊이 파내려가 땅이 꺼지지 않음을 확인하고
그곳에 또다른 세계를 만들어 하늘이 무너질 경우를 대비하라」

始皇帝 其命以後
死亡을 두려워하여
한 뿌리의 不老草에 執着하다

한 무리의 儒 책을 불태우고
지하실에 들어가 살기 시작하다
儒를 따르지 않는 무리 흙으로 인형을 빚어 지하실에 채워 넣다

事後
초패왕 항우와 한고조 유방의
소설극 같은 역사를 길 가는 한 불행했던 나그네 사마 遷 이 어딘가에
기록하는 사건이 일어나다

세월이 흘러 흘러 그로부터 이천여년 후
倭政期 조선의 어딘가 탄허 大宗師 태어나
산으로 들어가 중 노릇 하다

그리고 언젠가 살아갔던 속된 뜨내기 하나
이런 저런 퍼즐 같은 세상 이야기 짜 맞추며
그것을 글로 적다

– 終 –

그대

저 산이 상상속에 보이고
저 물이 그리움 속에 있다
마음은 철새처럼 물을 치고 날고
갈대는 살랑이는 바람에 휘눌리누나
튀어오르는 은빛 고기 비늘 반짝이고
풀잎 위로 빗방울 눈물처럼 똑 떨어져 닿네
내 삶에는 하나 부족한 것 없어라
일년 삼백육십오일이 걱정이 없어라
끼룩대는 새 하늘길로 떠나고
내 곁엔 스쳐 지나가는 그리운
옛 소리 뿐 이제 아무것도 없어라

어려운 마음

비어있는 것이 내 속이라
우주와 같다 말하고 싶거늘
아파오는 것이 갈빗대 안 저릿한 심장이라
이제 사랑이라 할 것만 같지만서도
사랑은 온유하고 사랑은 오래 견디며
사랑은 교만하지 아니하며 시기하지
아니 하면서도 사랑은 쾌락이 아닌
회락이라 하면서도 나는 따뜻한 사람은
못 되어 이런 글을 남기네 살풀이
춤이라도 출 수 있으면 종일 추고픈 날
신내림이라도 받아 열병을 앓고픈 날
석 달 아흐레가 지나 나는 가게 된다네
대숲 속 비밀 가득한 소리꾼의 나라로
서러울 것 없어라 바람 잘 날 없는 한 평생
눈 뜨고 일어나 보면 단 하루와 다르지 않아라
호랑이도 코끼리도 아니 보인다는 꿈 속
화성인을 만나 간절한 부탁에 먼지폭풍속
태양빛이 찬연히 빛나더라 그 꿈속에
길 같은 건 하나 없더라 로또 복권의 번호도 그 무엇도
있지 아니하더라

삶의 수수께끼

삶의 수수께끼 중 하나는 바로 病이다
우리 인간은 이 수수께끼를 풀기 위해
태곳적부터 얼마나 많은 지혜를 모아왔던가
하늘에 부족하기 짝이 없는 답안지를 제출하고
그 하늘의 대리자가 되어 의술이란 이름의
방편을 휘둘러 왔던가 의술은 실제로
죽어가던 사람을 다시 삶으로 되돌리는
부활의 기적을 수없이 실현하였으니 오 할렐루야
역사의 찬양을 받으소서 이 땅의 의느님이시여

슬픔은 지나가지 아니하고

전쟁에 분노하지 않고
슬퍼하는 이유는
사람의 생명이 너무 하찮게 보이는
우리 세상에 내가 살고 있어서인가 보다
하나님 우리 기도하게 하소서
떠나간 영혼에 축복 내려 주소서

마음 나의 마음이여
수천갈래 찢어진 나의 마음이여
저 여린 심장 박동은 뛰다 뛰다
멈추었도다
어머니 없는 마음이여
아버지 없는 마음이여
죽음으로 가는 길의 끝
순장된 딸 아이의 눈물이여
그 눈물을 달랜 최후의 만찬식
그리고 차오르는 물에 잠겨
세월호와도 같이 끊어진 목숨
누가 죄인이었나 누가 죄인이었나
위령비 하나 세울 수 없는 내가
죄인은 아니었나 죽으려는 결심
북돋은 한마디 그 방아쇠로
죄악의 심지를 불붙인 그였나
이제 아프지도 않은 어린 소녀가
불쌍치도 않고 서럽지도 않다
테라에서 루나를 그토록 우러렀던가
그 마음 뉘가 알랴 그 마음 어찌 알랴
그 잔망함을 누가 짐작하랴 혼아
홀로 수장된 아이의 혼아
나이먹지 못하고 그 시간에서 멈춘
아이의 혼아 하늘로 오르지 못하고
자동차의 후진 기어 멜로디로 영원히 남아
바다 가운데 세이렌의 노래로 남을 혼아
눈물짓지 못하는 한국인의 마음을
나는 한탄한다 이제 어느 장례식이 있어
곡을 하랴 어느 장례식이 있어 망자를
추도하랴 어느 끝이 있어 우리 역사를
되돌아보랴 세상 어느 물이 이처럼 슬픔에 잠겨
그토록 차갑던가 밀물처럼 고요하던가

어둠의 시

저 어둠 속 길 보이지 않는 미로
호흡 가빠지는 유황불 타는 지옥 바닥
너는 살아 있느냐 아직 죽지 않았느냐
너 나와 같이 살아서 또한 고통받고 있느냐
내게 삶이 없듯이 너에게도 삶이 없지 않느냐
자유 모르는 죄수들의 무한굴레의 밤과 낮
저 그림자는 분명 너의 죄악의 모습일거야
이 얼룩이 코웃음 나오는 내 속죄의 흔적이듯이
여기 이곳에 고통은 없다 고통은 없다
주문을 외는 강박과도 같은 종교의 맹신에
너도 나도 자기만의 우상을 만들어 따르네
그래 더이상의 고통은 없을지어다
꼬부랑 꼬부랑 꼬부라진 글씨로 문장으로
자신의 죄악을 변호하는 편질 써서 보내네
나 아직은 살아 있소 죽은 듯이 살아서
이 지옥 바닥을 기며 생존해 있소 미안함
같은 건 내 인격과 바꾸어 꾸겨 버렸소
아직 목숨 끊어지지 않고 살아 있어서
그러나 아무도 날 구할 이유도 필요도 없어서
내 삶은 태어났을 때부터 저주받았으니
그 진실의 투명함 속에서 나 또한 나 아닌
모든 걸 저주하며 살았던 거야

어둠 속 시

손님은 갔다
텅 빈 공간이 어지러이 적막으로 남겨져
어둔 조명은 그 어떤 그리움도 모르는 듯
머리 속에서는
청색 블루스를 아는가 청색 블루스를 아는가
중요하다 생각했던 모든 것은
하나하나 바스라져가고 —
懷疑조차 값비싼 취미로 되어 버려
오늘 밤도 저주받은 운명이 노래를 한다
오늘 밤을 저주받은 운명이 노래를 한다
몹쓸 희망가를 부른다 광막한 어둠 속 반짝이는
별빛처럼 보면 볼수록 고독한 티비 속 스타처럼
노래하는 예술가의 고독과 닮은 옆얼굴의 전시작전 통제사여
네 앞에 놓인 투박한 단추버튼을 외따로이 밀어두고
너의 손님은 어디에서 와서 어디로 가는가
너는 어디에서 와서 이제 어디로 가려는가

가름의 시

살아간다는 것이 무언가
죽음을 향해간다는 것이 사는 것이다
어떻게 죽고 싶은지를 묻는다
그 죽음으로 한계지워진 삶을 어찌 살지 또 묻는다
인생을 살아야 문학이 나온다고
아름다움을 마음 속에서 잃지 않아야 한다고
그리고 간절히 간절히 희구해야 한다고
그렇게 나는 여러분들께 내 믿음을 말씀올린다
나의 문학은 눈물에 다름이 아니었으니
누군가에게 거룩한 분노가 문학이 된다면
다른 누군가에겐 곰삭은 七情이 문학이 된다 믿는다
삶을 사랑하고 살아있는 사람을 사랑하는 것이 나에겐
왜 그리 어려운 일이었던가
나에게는 죽어서 박제가 되어버린 사람들의 숨소리가
산 사람의 목소리처럼 귓전에 들려 와
귀신 울부짖는 소리 메아리치는 이 산야 그리고 저 거친 바다
이는 필시 신이 인류를 저주한 것이다 거룩한 신이
필멸의 운명을 지닌 인간을 저주한 것이다
두 다리로 선 작금의 인간에게 투쟁은 무얼 위한건가?
가치 상실의 이 지구행성에 태어난 사람이
사람으로서 남기고 떠나야 할 선물은 무엇이겠는가?

술잔을 들고

희망의 나라로 가자
우리 같이 한 배에 타고
달나라로 가자 화성으로 가자

금쪽같은 처자식 데리고
미지의 별세계를 향해 든든히
노 저어 항해하자

시간이 말하노니
미래는 과거가 될 것
현재는 미래에 남을 것

지금 우리의 만찬 이 건배는
천 개의 술잔에 비추인 달 그림자처럼
세세토록 영원할지어니

만세 만세 만만세 외치며
우리 함께 희망의 나라로 가자
어기여차 노 저어 가자

내로남불

내가 하면 로맨스romance
남이 하면 불륜不倫

로맨스에는 이야기가 있고
불륜의 판단에는 윤리에 어긋남만이 있다

스토리텔링이 중요한 이유랍니다
범죄를 묘사한 예술이 스토리 좋으면 잘 팔리죠?

언젠가 나는 비틀거리며 종합병원 응급실에 들어갔다

의사가 나더러 "어디가 아프세요?" 하고 물었다

나는 간신히 "내가 아파요" 라고 답했다

의사는 다시 "어디가 아프시냐"고 물었고

나는 "내가 아프다고요" 라는 말을 반복했다

의사는 재차 "어디가 아프신지를 말해야 한다"고 말하였고

나는 "다른게 아니고 내가 아프다"는 대답과 함께

"선생님의 말씀도 내게 아프게 느껴진다"고 하였는데

눈을 올려 위를 보니 병원 벽에는 십자가가 걸려 있었다

나는 예수 그리스도의 부활을 떠올리며 물었다

"죽은 사람을 다시 되살리는 의술은 없나요?"

그러며 눈물을 내쏟자 의사는 당황한 기색이 역력했고 곧 나를 대기실로
돌려보냈다

내가 병원 안에서 넋이 나간 채로 죽은 사람을 살려낼 수 있느냐며 흐느
끼는 중 경찰이 도착했는데

그 경찰관을 마주대하자 내 입에서는 수많은 말들이 두서없이 쏟아져 나
오는 것이었다

오후의 카페

인생의 한 페이지가 넘어간다.
내 인생의 단 한 페이지 그 사람
그 사랑의 아련했던 한 순간이
끔찍하게 건너 간다 저 멀리로
나무의 뿌리 그 드러난 줄기가
도끼질에 뚝딱이 쓰러지듯이

댕 댕 댕 울리는 패종시계의
흔적 없는 어느 한 과거로부터
울리는 열 두시의 알람, 안녕 우리의
흐드러진 벚꽃의 봄날, 다시 안녕
詩의 마음을 가진 사내의 발에
채이는 저 먼지같은 대지의 바람
그 바람만이 불어서 날리는구나
사막과도 같은 나의 봄이여, 저 하늘,

하늘 끝까지 올라 빛나는 태양같이
그대는 또 다시 빛날까, 써니
너는, 너의 빛은 또 다시 내게 내리 비출까
나의 써니, 나의 써니,
너는 하늘길을 도는 단 하나의 태양,
나는 커피잔 속의 작은 디오게네스

신앙 고백

긴 여로의 끝을 나는 모른다
그보다 더 긴 인생길을 나는 모른다
생사의 가름은 무엇이기에 우리를 偏가르고
하늘의 부르심은 무엇이기에 내게
조그만 使命을 맡기시는가, 죄인은
용서받지 못할 이 죄인은,
歷史의 시험대 위에 서서 종일 몸부림치며,
너, 너희라는 代名辭 앞에서
移項消去의 간단한 셈법 앞에서
超越, 오직 超越만을 바라는 나의 소망,
對極의 서로 마주함 그 圓融의 形相 앞에
나는 나의 마음을 잃네, 그것을 놓아버리네
내가 놓쳐버린 것들, 길 잃은 어린 羊들의 아우성
하늘은 왜 꾸짖음이 없는가,
하늘은 왜 말 없이 가르치는가—
하나님이시여, 신이시여,
人間에게 일찍이 死亡을 선고하여 두고
우리를 아름다움으로써 創造해 주신
맑은 神靈이시여!

하늘

강아지가 바라보는 하늘은 푸른 색이련가
파랑새가 바라보는 하늘은 짙푸른 바다 색이련가
젊은이가 바라보는 하늘엔 먹구름 잔뜩 끼었을까
늙은이가 바라보는 하늘은 지난날 좋았던 경험이련가
사나이가 바라보는 하늘은 부끄럼 없는 외침이련가
아이가 바라보는 첫 하늘은 해질녘 노을 붉음이련가
기억이 바라보는 하늘은 전생의 추억같은 아련함이련가
대나무와 어울리는 하늘은 바람에 실려가는 구름이련가
태극기는 높은 곳에 걸려 하늘을 배경삼아 펄럭이고
봄의 따스한 하늘은 바람과 함께 우리를 아지랑이의 세계로 부른다
하늘로 오르는 것이 어찌 우리들의 영혼뿐이랴
몫을 사고 파는 시장 어디선가는 그 값어치가 하늘로 치솟고
그것은 세상 여기 저기를 떠다니다 싸락비로 땅에 떨어지네
하늘로 올라간 것이 어찌 기쁜 것뿐이랴
바닥에 고인 슬픔은 진주가 되어 닿지 못할 하늘나라를 장식하네
가장 높은 마천루보다 더 높은 하늘의 어딘가에 그 어딘가에
내가 아는 하나님의 궁전이 있을까
눈물로 만들어진 렌즈를 투과해 잠시 비추어 보았던 하늘나라
그곳은 어느 산 넘어 어느 강 건너야 다시 우러를 수 있을까

독거노인

마침내 가끔 나는
날 아는 사람들이
내 생사를 모르게끔 어디론가 사라지고 싶다는
생각을 하곤 했다
그 불행한듯 행복해 보이기도 하였던 한 인생이
지구 어딘가에서 끝모를 극락의 세계에 있겠거니
사람들이 그리 생각해 주었으면 하였다
산림의 바른 터에는 옛날에 존재했다는
절의 기단이 남아 쓸쓸한 낙엽이 바람결에 스러져갔고
성불에 이르지 못한 고독한 세월은 그 절에 있었을
산신각의 탱화를 보며 기도했을 자신의 조상님을
떠올려보기도 하는 것이었다
접동새 울어제끼는 하루 저 석양노을을 보며
산으로 들어갔다는 소문만이 무성한 단군왕검의 이야기와
에이는 밤 뗄감으로 쓸 나무 뿐 눈에 뵈는 것 없는 깊은 산중에
최후의 만찬식과 더불어 자신의 아비를 버리고 왔다는
높고도 화려한 어떤 장례식의 풍습을 떠올려보기도
하는 것이었다

사랑이 떠돌고 있다.
이나라 이 구석 저기 언덕 너머까지
사랑이 떠돌고 있다.
이 집 밥그릇 저 멀리 연필심까지
사랑이 떠돌고 있다.
마르크스의 사상부터 존 케이지의 음악까지
사랑이 떠돌고 있다.
곡식의 낱알 하나에서 깨어나는 인식에까지
사랑이 떠돌고 있다.
휘 휘 휘도는 휘파람 끝무렵의 계절옷
사랑이 떠돌고 있다
봄의 따뜻한 바람처럼 쫓기는 유령처럼

김기림의 길

나는 평가내리기를 잘 하지 못하는 사람이다
무언가를 접하면 그 끝을 잘 보지 못하고 과정 속 어딘가에서 헤매기 때
문이다
무언가로 인하여 촉발된 과거의 심상들 하나 하나가 나를 붙들어 맨다
그 끝나지 않는 길 그 도중에서 하늘을 보면 하늘이 생각나고 땅을 보면
땅이 생각난다
마음 어딘가에는 반짝이는 강물이 흘러 저물녘 내 인생길을 천천히 따라
온다

2022.06.06.

https://youtu.be/1KdYD6JC9DI

살아간다는 것이 무엇인가.
마음.
아름다운 마음을 가지고 살고 싶다.
이미 내 삶은 더럽고 추하고 또 죄스럽지만.
다시 아름다움을 찾고 싶다.
어제 밤 어떤 촌락의 집에서 개구리 울음 소리 들었다.
각다구들이 불빛으로 달려드는 그 밤바람에
빗방울 지붕 위로 후두둑 후두둑 떨어졌다.
마음.
자연과 같은 마음을 가지고 싶다.
자연이라는 것에는 민족도 국가도 없지 않은가.
철새는 휴전선 너머로 자유롭게 다닌다는 그 오래된 어구가
내 마음 속 낡은 서랍장 안의 편지처럼 놓여
이제는 아무도 들여다보지 않는 무엇이
되지 않았나.
마음.
삶은 과거로 멀어지고.
나는 무엇인가로부터 멀어진다.
사랑으로부터 멀어진다.
사랑하는 사람이 아닌, 사랑이란 개념으로부터 나는
멀어져간다. 어디론가
장마철 어디론가 지하 밑 하수구를 통해
떠밀려가는 부유물처럼.
그 누구인가, 인생을 도서관의 책으로 비유했다는 사람,
그 사람의 말에 나는 동의하는 편이다.
지금 나는 어떤 책을 한 권 골라 읽고 있는 중이다.
반고비 쯤 읽었나,
그 책의 서두는 무슨 내용인지 잊어버렸고,
그 다음은 주인공이 세상의 기준에 맞추려 노력을 하였고,
그 이후 소년등과라 해야 할 것에 대한 업보를 단단히 치루었고,
사회적 단절로 자신만의 세계로 피신한 한,

가엾은 사내가 있었다,
사랑이, 사랑이, 사랑이 피어났으나,
그러나 이제 나는 사랑으로부터,
그 사랑이란 정감있는 개념어로부터 멀어져 간다.
내 삶이 끝나면 나는 내가 아닌
다른 사람이 주인공인 책을 읽어볼 수 있으려나,
그 누가 주인공으로 등장하는 책을
가장 흥미롭게 읽을 수 있으려나,
나의 인생은 웃지도 울지도 못할 희비극인지
아니면 덧없는 시지프스의 노력에 가까웠는지
아니면 내 생은 누구의 말대로 아무 쓸모가
없었는지...
남을 함부로 비난하진 않았는지,
무언가 나 스스로의 못난 점을...
내 말하건대, 이 글을 읽으시는 여러분들도 어떤 책의
주인공이다. 책이 아니라면 영화의 주인공이자,
드라마의 주인공이다. 수없이 많은 책과 영화와 드라마들이
우주 최대의 도서관 서고에 모두 들어가 있다.
그 작품 중 하나를 골라 여러분들은 관람하고 있는
것이다.
그러므로 여러분의 영혼의 핵심이 있는 한
너의 삶이 내 삶이요 자식은 언젠가 자신의 부모로 살아가게 되고
남편은 아내로 아내는 남편을 살아내게 되는 것이다.
이것이 나의 신앙의 모습이니,
문학을 하는 사람은 자신이 적는 문학 못지 않게
자신의 삶 그 자체가 아름다웠으면 한다.
비록 나는 추하고 더러운 삶을 살고 있지만 나 아닌 다른 사람의 삶은
더 나은 아름다운 삶을 살 수 있지 않을까.
그리고 나에게도 초월이란 것이 주어진다면
그 아름다운 삶을 내 영혼으로 한 번 더 살아낼 수 있지 않을까...

마음이 아프다

살아간다는 것이 아름다워 보일 때
머리가 아닌 마음을 쓰는 삶이라는 걸
그 가슴이 아픈게 무엇인지 나는
이제서야 경험하고 있다 그 갈빗대
안쪽 심장 부근이 왜 이리 은근히
아픈가 무슨 무게가 거기에 걸렸기에
이것이 협심증으로 드러나는 질환이
아니더라도 나는 아프다 무언가
깊은 상처를 받았나 아니면 진정
쿠피도의 화살이 나의 심장을 꿰뚫은
것인가 난 어쩌면 사랑이란 장난의
노예가 되어버린지도 모르겠다
사람은 죽게 되고 그 사망 후에도
끝나지 않는 이야기가 어린아이와도
같은 에로스의 신 그 사랑의 활쏘기
장난에 사로잡혀 나는 살아가게
되었는지도 모르겠다 악마도 천사도
아닌 한 인간의 유혹이 이처럼
나를 끌어당기는가 내 몸은 중력의
한 가운데에서 인간 種의 인력에
이중 삼중으로 당겨져 힘의 균형을
이루고 있다 업보는 나를 자연에서
인간의 세상으로 이끌어 나는
자연을 버리고 고층 빌딩으로
돌아왔다 높은 하늘보다 더 높은
우주의 적막한 한 점 별과도 같은
뜨거움으로 나는 살아가려나
언제일까 나의 아픔이 아픔이 아닌
부끄러움도 모를 눈물도 아닐
그러나 결코 행복도 아닌
오히려 불행과 그 연속의 기괴한
모습의 예술이 되는 그 날은
미치도록 아름다운 삶이란 무언가

미치도록 아름다운 문학이란 무얼까
나는 문학을 하는 자로서 자격이
있는 것일까 내 삶 살아낼 자격이
주어질까 나는 헛된 일 헛된 일
글쎄 내가 살아내는 일의 정당화가
이런 식으로밖에 되질 않아
나는 농사도 짓지 못하고
내 먹는 밥도 스스로 만들지 못하는
병든 자로써 책만 읽고 살았거든
돈벌이가 되는 일터에 적응을 못하고
그러나 내 인생도 내 삶도
의미가 있었다고 주장하고 싶어
그 외로운 하루 하루 나는
글을 읽고 글을 적지만 나는
결국 사람을 사랑하고 싶어
사람을 증오하게 될 수는 없게
만들어진 거야 사람이라는 건 結局

그리움이 날 부르는 날

언제 그 날이 올까
그리움이 날 부르는 날
언제 그 날이 올까
더할 수 없는 그리움이 날 부르는 날
언제 그 날이 오려나
인생에 다시 없을 그 날
언제 그 날이 오려나
내가 그 분이고 그 분이 내가 되는 그 날
그리움이 날 부르는 날
언제 그 날이 오려나
꿈에도 생시에도 잊지 못할 그날이
언제 오려나 울지도 웃지도 못하는
그리움만이 마음으로 파도처럼 밀려 올
그림같은 그 옛날을 추억하게 될
한 없이 그리워만 할 그리움의
그리움만을 위한 그 날
그리움이 내 마음을 부르는 그 날이

New 故鄕

고향에 돌아와도 그리던 고향은 아니러뇨
술래잡기 뛰놀던 고향마을 새마을 뉴타운
추억속 사진속 내외장 하드 플래시 메모리속
동영상 속 미소 속 학교 급식 속 포맷 재설치로
남으니 아아 새로운 실향민이 속속이 태어나네
통일이 되어도 닿지 못할 유년의 자연이여
뒤뜰의 지렁이 매미 여치 방아깨비 개미 메뚜기와
부엉이 울음소리 꿀벌과 사루비아 꽃잎 어둘녘 박쥐
흐드러지던 민들레 꽃씨 그리운 고향은 아슴한
녹색의 진음 그늘 아래 한여름의 땀방울로만,
남아 있네 슈퍼마켙에 들고 가던 이백원 이백원
동전의 짤랑거림으로만 남아 있네 고향에 돌아
와도 꿈에 잊히는 고향은 아니러뇨, 꿈꾸었나니
거대한 城砦 그리고 Beauty and the Beast ~

논문 제목

「옹고집의 귀환」과 「마르탱게르 傳」의 「도플갱어」적 동일성에 대비한 「홍길동 傳」의 주인공 슈퍼스타 洪 吉同 의 패션과 그의 라이프스타일의 전국적 유행이 「조선조 號牌 제도」에 미친 영향을 현대 대한민국의 「주민등록법」과 그리고 정치인의 위장 술수와 관련지어 그것이 시공 초월의 현대 티리비 드라마 「호텔 델루나」의 세계적인 제작진에게 이팔육 도스 컴퓨터 게임이었던 「페르시아 왕자」적인 느낌의 헬스장 평면 거울상의 쌍둥이 형제 자매(링크)가 각자 팔뚝을 드러내고 택배 상하차 알바를 하면서 「낭만적 사랑과 결혼」에 이르는 그리고 그들에게서 태어나는 자식들에게 발생하는 「멘델의 유전학 법칙」에 근거한 「인간게놈프로젝트」의 완성으로 가능하게 된 현대의 한국 드라마의 특수 제작 환경에 어떤 「막장적」인 영감을 줄 수 있는지에 대한 「먼 옛날 어느 별」로부터 비행접시를 타고 내려온 외계인에게 「한글로 적힌 타임머신의 설계도」를 얻은 옛 이슬람 세계의 한 무어인의 인식과 「동짓달 밤을 버혀 내어 이불 아래 감추었던」 황 진이가 키우던 귀뚜라미와의 극적인 만남이 「第四共和國」의 겨울철 연탄 보일러와 같이 뜨거워져서 발 없는 말로써 정화의 船舶을 몰래 얻어 타고 인도양을 건너가 만약 그것을 신화적인 「고대 회랍 비극」 작가가 미래의「셰익스피어의 회곡」을 참고하여 적었다면 그에 대한 대한민국에서 태어난 「아리스토텔레스의 환생」의 인식을 움베르트 에코가 「장미의 이름」에 미처 적지 못했던 바 해당 내용을 목욕탕집 누군가가 「이태리 타올」의 안쪽에 빼곡히 몰래 적어두었는데 그 목욕탕집의 또다른 누군가는 그걸 보지도 않고 「생략삼단논법」으로써 거시기를 추리해 내었을 때 느껴지는 「카타르시스」를 金 正恩 에게 「기쁨조」로 봉사하는 여성들 전원이 공유하게 된 경우 이 설주가 갑자기 코로나에 걸려 그걸 「금수산 태양궁전」 안의 목욕탕에 퍼트리지 않는다는 보장 하에 우리가 당면한 코로나 시대 辟邪進慶 의 의미로 전해져 내려온 전통 춤 「처용무」의 탈 만드는 장인으로 살았던 사람의 「사주」와 엠비씨 문화방송의 프로그램인 「복면가왕」에 출연한 하 현우의 「팔자」가 시공을 초월하여 우연하게도 일치한다는 팩트의 값어치로써 그것이 사람들이 여러 「페르소나」를 바꿔 쓰고 다니는 이 시대적 상황에 무슨 메시지를 주는지에 대한 「事事無礙적 인드라망」의 범신론적 수리철학을 「회빈 장씨」 시대를 주름잡던 한 주술사가 「예수 그리스도의 족보와 사주」를 혈액형과 미토콘드리아의 관점에서 자유로이 연구해 본 결과를 첨부하여 그 시절 네오콩푸시우스적 「화엄학」의 대가에게 한 이야기를 신칸트학파의 프로이트주의 페미니스트 대학원생의 어머니가 유튜브라는 매체로 「은하철도 999」를 보다 말고 갑자기 「자기 딸이 사병으로 입대를 하여 입영열차를 타게 되었다는 소식」과 더불어 함께 反民主的으로 전해듣고서 하게 된 「원더키디의 2021년」 어떤 여름날의 고뇌의 한 순간이 내년 한국 대통령 선거에 미칠 풍선버블껌적 요소를 포함하는 「나비효과」에 대한 실증과학적 분석을 사람이 아닌 「인공지능」이 순식간에 하게 될 時 전직 프로바둑기사 「이 세돌」이 현직 프로게이머 「페이커」를 불러 함께 사막으로 변한 몽골의 초원에서 베트콩산 커피를 앞에 두고 바람에 스치우는 「밤하늘의 星座」를 바라보며 느끼게 될 그날의 이상기후와 동조하는 인간 종으로서 개인의 「아프리오리한 조건」 내의 심리적 변화에 관한 「冒險人類學」적 예측

* 무얼 바라 나 이곳을 찾았나. 희망일까 아니면 물기에 어려 아련히 지나는 옛 기억일까.

바람은 고요한데 강물은 반짝여 영원할 것 같았던 귀한 반지 보석돌에는 여러 방울 눈물의 짠 성분이 포함되어 있었던 것 같다.

하늘을 날고 싶은 마음을 땅에 뿌리박은 나무 줄기 가지 끝에 달린 어린 잎이 지녀 그 나무의 과실수가 툭 하고 땅으로 떨어지던 날.

떨어져 버린 것을 수많은 꽃 이름을 아는 농사꾼은 못 팔게 된 상품이라 하고 언제 어디엔가 살았던 어떤 이에겐 질량을 가진 물질 그 밖의 것이 아니던 때에.

이제 우리들의 실패를 어디에 하소연해야 하나 내 마음의 자리는 어느 곳에 두어야 하는가. 그 아스라이 사라져가는 옛날의 꽃잎 사이를 드나들던 벌과 나비들.

사랑을 마음의 사치라고 말하던 예술가는 그 스스로의 마음 병들지 않았나 마음이란 무엇이기에 마음이란 무엇이기에 내 심장을 이리 아프게도 뛰게 하나, 한 번도 내 스스로 나의 가슴팍을 갈라 내어 만져본 적이 없는 나의 심장.

다른 동물들의 심장과도 같이 내 몸 가슴팍 안에서 계속해서 피를 돌리는 펌프로 작용한다고 알고 있는 나의 심장.

나의 두 눈으로 똑똑이 확인하여 본 적 없는 나의 심장의 색은 피가 뚝뚝 떨어지는 붉음이라 한다.

과연 있는지 없는지가 의심스럽기도 한 나의 심장. 그 심장이 뛰고 또 뛰는 한 내 마음은 그 언저리 어딘가에 존재한다고들 한다.

사람아, 사람이라는 사람아, 사람 중의 사람이자, 사람의 사랑을 받고, 또 사람을 사랑한 사람아, 그 마음 상해 아파오는 사람아, 너의 고운 손가락에 세상의 희망을 담았던 사람아.

세상 일은 우습지 아니하고 또 슬프지도 않다 내게 말하였던 사람아,

갈까나 갈까나 어디로 가야 할까나 우리 나아갈 길 어디일 까나 어느 호숫가 옆 오두막에 숨어서 이 겨울같은 질병을 하늘 끝 우주의 어떤 곳의 바깥세계에 = 3 + x

우리 아름다운 사람아

아름다운 사람아

마음 담아 건네는 너의 눈길이 어떤 이의 두 눈동자를 사로잡고 두 눈 지긋이 감고 느끼는 그 옛날 저 먼 곳의 음악과도 같이 조화로웠던 우리들의 옛 시절.

그리운 마음 또한 어디로 가 버리고, 전쟁의 참화가 아름답게 보이는 우

88

리의 아련했던 이력서의 무덤.

총성 하나 울리잖는 바다 끝 너머 배를 타고 떠난 거친 바닷 싸나이의 입에서 튀어나오는 욕지꺼리가 좋은 우리 우리 우리 활어와 같이 파닥거리는 사시미 칼질의 달인의 자연스러운 손놀림에

하루와 하루 더이상의 것이 없겠다 싶은 우리들의 일과 나날들 여기 이곳에는 어떤 희생자가 더 필요한가 묻는 저주받은 짐승의 두 갈래 낼름대는 붉은 혀놀림에

그래서 결국 나의 마음은 어디 있었는가

나의 마음은 진실로 존재하였는가 그 존재는 무얼 충족하였는가 마음은 부드러워야 했던가 모든 것을 아우르는 저 먼 수평선이 만들어내는 닿지 못할 곡선의 생김새여야 했던가 저 먼 바다 너머를 알지 못하는 세계로 남겨둔 채

너의 눈길이 가 닿았던 가장 정직했던 그 곳이 너의 마음의 세계였던가

아 파도가 부서지는 이 바닷가 어딘가 오두막에 딸린 헛간 그 아래 땅 밑에 너의 보석같은 마음 동그란 반지가 우리가 알았던 타이타닉 호의 사랑처럼 묻혀 있고

옛 사랑과 더불어 새처럼 하늘을 날고 싶었던 누군가의 소망을 이루기 위한 푸른 하늘을 향한 수많은 성실한 시행착오 끝에 성공한 단 한 번의 첫 비행을 우리 이력서 한 줄에 신화처럼 적어 두자

마음이 꿈 속의 몽유병 환자처럼 속옷바람에 거리로 나가 추위에 시달렸던 세월들은 그 한 줄의 잉크 뒤의 하얀 백지장으로서 그만 그렇게만 두자.

사랑이 욕심에서 열정으로 열정에서 연민으로 바뀌어가는 우리의 인생 가는 세월 아쉬워하는 파랗고 하얀 마음 그 천재적인 예술가의 그림 폭에 채색된 질감 그 표면에 스며든 박제된 영혼이 뿜어내는 아우라의 자기장 안으로 손을 뻗어 자기 자신의 이 세상 단 하나뿐인 지문으로 접촉의 흔적을 남기고픈 옛날 사람 옛스런 골동품으로 남아 버린 옛 그림의 예리하였던 붓 터치☆

나의 삶은 이렇게 흘러가네만 그래도 나는 노력하는 삶을 살았다고 아니 남들처럼 노력한다 여겼다고 나 또한 노력을 많이 하였다고 독일의 위대한 사람이 말했다던 인간은 노력하는 한 방황한다는 말을 가슴속 형체없는 마음 언저리에 새긴 채 나의 끝없는 방황을 참된 노력이라 알며 스스로를 한없이 위로하였다고 내 마음조차 느끼지 못하는 날에도 어김 없이 해와 달은 떴다 하고

홀로 우물가에 앉아 한 길 사람 속을 그 바닥에 닿을 때까지 두레박을 내

리고 내려 어데 찰랑대는 물의 기미를 알아차리려 노력하였었었었다고 그
노력은 매번의 동일한 실패와 동일하게 어딘가에 가서 닿았던 것 같았다
고
가끔 그 우물 안의 깊은 어둠 속에 희미한 달빛이 비추기도 하였다고 어
디에 있는지 모르는 버려진 우물가에
그 우물가 어데 흩어진 돌무더기 사이사이를 넘나드는 이름을 알지 못하
는 검고 작은 벌레같은 곤충들의 무리가 있었다고
하늘 향해 서 있는 나무 끝으로부터 땅으로 추락하여 형체가 파괴되어버
린 물러터진 홍시 하나가 풍기는 달콤한 향에 이끌려 찾아드는 그 벌레같
은 곤충들의 더듬이가 그리는 무늬를 무심한 마음이란 것이 골똘히 들여
다보기도 하였다고
그렇게 나는 나의 짧은 이력을 여기에 적어 둔다.

까마귀떼 날아가는 들판
널따란 빨래터에 모인 여인들이 다듬이 방망이 치며 도란 도란 수다 떠는
소리

라 라라라 라라라

아픔이 삶이 되려 한다
그토록 벗어나고 싶어 몸부림치던
나의 아픔이
이제 내 것 그대로의 삶이 되려 한다
춤추는 삶도 아니고
노래하는 삶도 아닌
행복도 불행도 아닌 제 삼 제 사
제 오의 떠밀려진 선택지를 받아들고
그렇고 그랬던 아픔이 이제 온전히
나의 것 내 삶이 되려 한다
외로움인지 고독인지 모를 감정이
밤마다 문득문득 밀려 와 투명했던 그 시절이
도화지 속 알록달록한 수채화의 무늬가 되어
해 뜨면 행복 찾는 사람들 사이 그 틈새에 끼어
아픈 상처 그러안고 오늘을 산다
삶을 사는 방법 이것 밖에 몰라
영 어색한 옷을 걸치고서 엉거주춤 그 모냥으로
지나간 옛날의 길 따라 오늘을 산다

멍뭉하고 우는 고양이

어딜 가려는 걸까
옛 주인이 문을 나섰다
나는 나비처럼
사뿐사뿐
마치 인간을 흉내내는
인공지능처럼
그렇게 털을 곧추세우고
아름다움을 향해 나아갔다.
야옹
무엇이 나를 고양이로 만드는지
그런 사유는 나에게,
필요하지 않았다.
고양이는 단지 詩的이면 된다.
어느 유명한 시인의 글에 적힌 말이라 한다.

강아지의 품격

강아지의 품격은
다른 데에서 나오지
않는다.

좋은 종자와
엄격한 훈육
주인의 사랑이
품격있는 강아지를 낳는다.

품격있는 강아지는
품위없는 인간보다
더 고귀하고

더 멋지고
더 사랑스럽고
더 용맹하다.

품격있는 강아지는
클래식 음악을 즐기며
꼬리를 흔들며
짖을 줄을 안다.

품격있는 강아지는
결코 굶어 죽는 일이 없으며
또 자살하지도 않는다.

인수분해

틀니를 만들다가 지쳐
학교를 그만두었다.

틀니를 만드는 것과
비교한다면
詩라는 것은 너무나 쉽게,
쓰여지는 것 같았다.

인생을 쉽게 사는 것이
그래도 낫지 않겠는가,
쉬운 길이 있는데 부러
어려운 길을 가겠는가.

基本定石과
實力定石을 두고
고민 없이 하나를
집어들던 때가 떠올랐다.

아직도 들려오는 환청
저 놈을 인수분해하라!

떠나가는 배

나의 혼 이 땅 저 땅 위에 떠돌아다니니
여기 대지의 신이여 내 노래 들으소서
나그네의 지친 발걸음 언덕배기 오르며
굽어진 길 돌아돌아 가없이 펼쳐진 바다
그곳에서 불어오는 바람의 노래 들으며
이 세상 사람의 슬픔과 고통을 느낀다
그의 목청으로 또 그 얼굴의 눈동자
이 악마같은 세상 노랫가락 아름다워라
믿음을 배반하고야 마는 그 뒷모습이
아름다워라 이제 여기서 나의 우리의
이야기 시작하려 한다 불어오는 바람
맞으며 저 바다로부터 시작한 이야기
항구의 냄새 나의 글에 실려 웃고 우는
우리들 삶의 이야기 나의 사랑 그리고
그들의 사랑 이야기 몸과 마음 그리고
반짝이는 눈물과 돈과 그리고 떠나가는
배 항구에 왔다 떠나가는 배의 이야기를

어느 항구 그 고을의 변두리 조용한 마을의 청색 슬레이트 지붕의 집의
담장 안 마당 어딘가에서 흰 연기가 하늘로 오르고 있었다. 때마침 그곳을
지나는 한 나그네 있어 고단한 발걸음 멈추어 그 연기가 파란 하늘로 흩
어지는 것을 바라보고 있었다. 그 나그네 담배 한 가치 꼬나물 만한 사내
다움의 여유를 갖지 못한 채로 연기 오르는 집 담장을 따라 이어져 굽어
돌아가는 길 저 멀리까지를 들여다보았다. 저 길을 따라가면 또 다른 사람
사는 집이 있어 그의 발걸음 닿길 기다리고 있었으나 그 조용한 마을길을
걸어들어가는 것은 어떤 무형의 금기가 그를 막아서고 있는 것만 같이 느
껴졌다. 나그네는 굴뚝없는 집 마당에서 올라 하늘로 흩어지고 마는 그 하
얀 연기를 바라보며 열 십자 갈래길에서 멈추어 서 있었다. 그 땅이 그 길
이 그의 마음에 채워넣는 것은 사랑의 감정도 아니요 황홀한 기쁨도 아니
었다. 그 마을에는 고요함 속에 살기등등한 날카로움이 숨겨져 있었다. 그
오랜 땅의 평온한 표정의 껍질을 벗기면 그 아래 바로 묵직한 슬픔의 닻
이 바다에 잠겨 하염없이 울렁이는 너울은 이제 쓰나미와 같이 한 나그네
의 왜소한 몸 위로 덮쳐오는 것이었다.

삶이란 무엇일까 하는 고민을 한다는 것은 한갓 어린아이의 사춘기도 아닌 한갓 갓난 어린아이의 사치스런 어리광일 뿐이라고 그 땅은 말하고 있는 것만 같았다. 삶이란 것은 알 수도 이해할 수도 없는 것이라고 그것은 그냥 온몸으로 느낄 수 밖에 없는 것 단지 살아내는 것 그것만으로도 힘겨운 것이 바로 삶이라는 그 삶이 다하면 우리는 하늘로 올라간다고 저 담장 안 보이지 않는 마당의 땅바닥에서 어떤 질료를 타다타닥 태우며 바람없는 하늘에 하늘하늘 올라가는 그 연기같이 사람들은 제각각 어디론가 뿔뿔이 흩어져 사라지듯 살아가는 것이라고 그 마을의 입구는 나그네에게 말해주고 있었다. 아 말 없는 사람들 그 사람들이 발붙이고 살아가는 이 땅이여 우리가 살아가는 이 땅 이 고향 그 고향마을의 옛 영광은 어디에 가 있는가 그 영광은 사람이 죽어 올라가는 저 하늘이 아닌 우리 땅 밑 지하에 영원히 파묻히고 말았는가 아니면 저 바다 밑 수심 가파른 저 깊고 깊은 물 속으로 바다 구멍난 고물 배처럼 영원히 침몰하고 말았는가 슬픔이 넘실대는 저 바다밖에 말없는 바다밖에 우리에게 남은 것은 없지 않은가. 마을 어귀 담장의 돌은 아침 햇살을 받아 그 돌에 박힌 석영의 결정이 반짝이고 있었다. 복날 개 한 마리 짖는 소리 들리지 않는 그 마을의 길에서 자신의 집에 있는 가장 좋은 옷을 갖추어 입은 한 나이든 할머니가 그 마당 안으로부터 이어진 길따라 뉘엿뉘엿 걸어나오고 있었다. 하늘로 오르는 저 연기를 뒤로 한 걸음걸이에 온갖 궂은 풍상이 깊게 새겨진 그 주름살은 마지막 단말마와 같은 소녀같은 미소를 짓고 있었다.

슬픔을 겪을 대로 겪은 노인의 눈망울이 그렁그렁 주렁주렁 열리는 호박 같은 기쁨과 함께 섞여 어딘가에서 진주조개의 눈물이 똑 하고 떨어져 흘러내렸다. 그것은 분명 슬픔이 아니었다. 슬픔이라는 것은 확인되지도 않고 증명되지도 않아 그러므로 존재하는 것이 아니었다. 사람에게 슬픔이라는 감정은 없는 것이고 그러므로 누군가가 흘린 눈물은 이 세상 사람의 감정의 발로가 아닌 허공에 흩어져 기운으로 존재하는 조화옹의 오묘한 작용이라 할 수 있었다. 동쪽 바다 저 너머에서 태양은 젊은 시절의 여느 때처럼 떠오르고 꼭 그 때와 같은 풀잎사귀에 아침의 이슬이 한 두 방울 피처럼 맺혀 있었다. 그리움을 망각하고 길을 걷는 인생은 또다른 길로 이어지고 언덕을 오르고 다시 터벅터벅 내려오는 그곳에 깊은 숲속 산새소리는 상상속의 세계 그 속에서만 존재할 법했다. 지금 여기만이 중요한 삶우리 인생 이해할 수 없는 삶의 현장에 곧 찾아올 먹구름에서 쏟아져내릴 소나기가 먼 옛날 다른 고을의 헤카톰베의 일천 여든 아홉 배가 넘게 피어오르는 그 제단의 불을 모두 꺼트릴 것만 같은 기세로 다가오는 중이었다. 인생의 떠돌이 나그네들 열십자의 갈래길에서 어디로 가지 못하고 그 복판에서 차오르는 진리의 밀물 속에 빠져 죽을 것이냐 아니면 거짓의 몸부림으로 또다른 살 곳을 찾아갈 것이냐의 선택만이 그 항구마을 땅길의 어느 한 순간 파란 하늘 태양빛을 받아 빛나는 갈매기의 꿈처럼 고요한 침묵으로 하늘 위 어딘가를 날아다니고 있었다.

길을 걷는 나그네 자기 발이 딛고 서 있는 진흙땅과도 같은 옛 목소리로 지나간 노래를 읊조렸다.

저기 떠나가는 배
거친 바다 외로이
겨울비에 젖은 돛에 가득
찬바람을 안고서
언제 다시 오마는
허튼 맹세도 없이
봄날 꿈같이 따사로운
저 평화의 땅을 찾아
가는 배여 가는 배여
그곳이 어드메뇨
강남길로 해남길로
바람에 돛을 맡겨
물결 너머로 어둠 속으로
저기 멀리 떠나가는 배
너를 두고 간다는
아픈 다짐도 없이
남기고 가져갈 끝없는
저 무욕의 땅을 찾아
가는 배여 가는 배여
언제 우리 다시 만날까
꾸밈 없이 꾸밈 없이
홀로 떠나가는 배
바람 소리 파도 소리
어둠에 젖어서 밀려올 뿐
바람 소리 파도 소리
어둠에 젖어서 밀려올 뿐

노래를 다 부르고 난 꼭 그 때 칠월의 덥고 습한 바람이 바다 쪽으로부터 불어왔다. 그것은 단지 우연일 뿐이었다.

제목 : 한 겨울의 사랑
지은이 : 二愚貧

차다.
슬프고 눈물난다.
춥고. 시리고. 아프다.
배 고프고. 마치 언젠가의 처량했던 무지개같이.
가엾다.
불쌍코. 미안타.
미안하다.
人生은 짧고 藝術은 긴가 민가 ―
快樂은 덧없고 苦痛은 상처입은 이리의 신음소리마냥 오래도록 남아
우리는 왜. 어째서. 어찌하여.
이 계절을 위한.
바지런한 곡식 한 톨을 남겨두지 않았던가.
우리 마음 속의 소중한 欲.動.은 왜째서.
왜째서 하늘이 許 하지 않았던가.
미련하고.
또 미련하게......
서로가 서로에게 힘든 짐이 되어. 서로가 서로를 놓지 ―
못했는가.
왜째서.
우리가 맺은,
假約은
해방과 자유가 아닌 한 겨울 흩날리는 눈보라 속 길고 긴 예술같은 추위
― 였던가.
오늘밤 차가운 얼음 조각은 달빛 비치는 아흔 아홉 잔의 독한 술에 섞여
비틀거리는 걸음으로 . . .
나는
너를

제목: 양평선지해장국
지은이: 85년생소띠사주팔자안맞음

술 취한 하나님
세 병 내리 드신 하나님
게슴츠레한 눈으로
공장제 알코올 냄새 풀풀 풍기며
가갸거겨 나냐녀녀 알 수 없는 말들 토하네
새하얀 마스크 어디론가 집어던지고는
가면인지 뭔지 모를 두꺼운 낯짝엔 붉은 술기운 올라
주룩주룩 쏟아지는 빗방울 개의치 않고
무대 위에 주저앉은 주연배우가 되었다
하나님 왈,
나 하나님은! 죄 없이 살아온 죄로! 사형을 언도받았다!
인류를! 구원하기 위해!! 생애 내내 벌을 받았다!!!
사랑이란건...
검은 먹구름을 뚫고 푸르른 하늘 위로 올라가는 기도문처럼 어디 보이지
않고,
영원토록 아니 꺼질 태양은 도대체 마음이란게 있는건지 없는건지...
돈 워리~ 돈 워리~!
돈돈돈돈 돈돈돈돈 워리워리 와리가리 바우와우 왈왈멍멍
우리의 우려스러운 하나님은
잠시 후 도착 예정인 천국행 버스를 기다리며 중얼댄다
하나님 왈,
인간은 위대하지 않다
인간은 위대하지 않다!!
벌레만도 못한 신
그따위 육시랄 부관참시할 존재는 백 번 천 번 만 번 일억 조 번 죽어야
한다고
예수 피
예수 피
예수 피
예수 피
예수 피
예수 십자가 보혈

예수 피

강원랜드에 갔던 이야기

1.

지금부터 적으려는 이 글은 나의 아픈 경험이라 해야 할까.
이 글을 적는 나는 벌써부터 눈물이 글썽거린다.
그 시절 나는 누구이고 또 무엇이었단 말인가. 나는 정말
아무것도 아닌 사람이 아니었던가. 그 서울의 명문 대학
그 언저리에서 나는 무얼 하며 시간을 보내고 있었는가.
공부라는 것이 왜 내게는 의미가 없었던가. 나는 무얼
바라 살고 있었던가. 내게 희망이란 건 왜 존재하지를
않았던가. 꿈도 희망도 없이 사는 것이 청춘이었나 그것이
정녕 청춘의 모습이었나 왜 꿈도 희망도 보이질 않는
세계를 나라를 만들어 놓았던 것일까 그 어른들은
우리가 배움을 요청해야 할 어른들은 어찌하여 이
세상을 절망으로 가득 채워 놓고 우리에게 사회의 규칙을
강요하며 우리를 답답한 쇠우리로 몰아넣고 있었는가.
그들은 희망 없이 살아가는 젊은 날의 청춘에게 손
내밀지 않았던가 나의 목소리 듣는 사람이 왜 없었던가
아 가련했던 인생 그 처절함 위에는 왜 파란 하늘이 언제나
떠 있었던가 그 비내리는 언덕을 터벅터벅 내려오는 쌀쌀한
가을날 나는 모든 것을 잃고도 다시 살아날 수 있었는가
그것은 너무 사소한 부활이었다. 벌레 한 마리가 뒤로 뒤집혀
발버둥치는 것을 다시 뒤집어 돌려 놓은 것에 불과하였다.
그 날 왜 나는 그런 결심을 했던가 그것은 나의 의지였던가.
아 세상은 결국 도박판이요 그 도박판에 들어서기 전
들어 놓는 보험이 아니던가. 우리는 모두들 하나님께
보험을 들고 도박판에 들어가 신의 가호를 요청하지 않았던가.
왜 파란 하늘은 그리도 맑고 또 빗방울은 그리 차던가.
밤의 추위는 왜 그리 아늑하고 왜 많은 사람들이 병든 몸을
그냥 지나쳐 가던가. 옛 탄광 마을은 왜 그리 고요하고 또
음산하던가. 감추어진 것 하나 없이. 왜 그런 어두움을
그 어두움 속에서 교회 십자가 하나가 하늘로 향해 빛나던가.

2.

간절히 죽고 싶었던 때가 있었다.

그러나 죽기 전에 무언가 한 번 걸어보고 싶던 때가 있었다.

신촌의 등교길에는 어떤 거지 할머니 하나가 사람의 물결을 거슬러
서 계셨다. 그 할머니 학생들이 모르는 사람이 없어
'회색 할머니'라는 이름으로 불리었다.

나 세상에 대한 어떤 간절함 없이 살아갔으나 왜인지 내 처량한 마음은
그 할머니의 회어가는 머리칼과 헤어진 옷 그리고 검은 비닐 봉다리에
가서 닿는 것이었다. 누구인지 모르는 그 정체불명의 누군가 그 사람인지
또 누구인지 모르는 그 할머니는 왜 그 장소를 지키고 서 계셨던 것일까.
나는 왜 아무 의미 없는 그 등교길에서 그분을 자꾸 마주치게 되는 걸까.

내 인생 발버둥 끝에 이만한 위치에 와 있으니 저런 거지가 될
일은 없지 저 불쌍한 저 늙은 할머니처럼 될 일은 결코 없다는 생각조차
못한 나날들 저 옛날 윤동주와 또 언젠가 죽어버린 기형도의 시집을
들고서
나는 서성이고 있었다. 참 아름다운 나날들이었다. 슬퍼서 아름다운 하루
그보다 더 슬퍼 반짝이는 밤, 오 서러운 감정 마음 안에 숨기고 지어보는
미소 그리고 천박한 걸음걸이 나는 절망하고 싶지 않았다.

희망이란 걸 잃고 싶지 않았다. 미래가 보이지 않는다 하여도 나는
절망하는 일이란 없을 것이라 생각하였다. 하루 하루 나는 그렇게
절망하지 않기 위해 살았다. 그래도 나의 삶은 품위있고 아름다운 것이라
믿으며.

3.

통장에 있는 돈을 모두 현금으로 인출했다.
단 1원도 남기지 않고 인출했다.
현금을 인출하는 과정에서 약간의 이득을 보았다.
1원 단위의 돈을 10원으로 올림하여 돌려받았기 때문이다.
은행으로부터 얼마간 이득을 보아 기분이 좋아진 나는
신촌의 거리 어딘가를 헤매고 있었다. 그리고
매일 등교길에서 보던 그 할머니도 그 길 어딘가를
헤매고 있었다. 우리 둘은 우연처럼 그곳에서 마주쳤다.

4. 판돈 없이 들어간 도박장

도박장에는 도박을 하는 사람들이 있었다.
돈을 따기 위해서 돈을 걸고 계산하고 찍었다.
나는 그들의 모습을 보고 이번에는 누가 따겠는지를 예측하는 도박을
열었다.
「아저씨 이번엔 여기 걸어 보세요」
「아저씨 이번엔 여기요」
「이번엔 저 아저씨가 딸 것 같은데요」
「이번엔 여기가 이겨요」
나는 결국 블랙리스트가 되어 도박장에서 쫓겨났다.
밤새 사북읍 탄광촌 어딘가를 떠돌며 어둔 밤 별빛 보이질 않는 그
쌀쌀한 밤에 비가 내렸고 내 눈엔 눈물이 났던 것 같다. 읍으로 내려오는
길 수많은 중고 자동차들이 판돈을 위해 저당잡혀 있는 것을 보았다.
아무 대수로울 것 없는 풍경이었다.

개그포르노 대본 1

* 장대비가 쏟아지는 여름날 옥탑방에 남녀 둘이 있다

발터벤야민 : 아 절라 꿉꿉허네 여치나 우리 같이 비맞으러 나가자

헬레네 : 머? 미첫어? 비를 왜맞아?

발터벤야민 : 여름철에 가끔씩 쏟아지는 폭우속에 절규하는 것도 좋아

* 벤야민이 뭉크의 절규 그림에 비가 억수로 쏟아지는 비디오아트를 재생해 보여준다 그 스스로 뭉크 그림 속의 표정을 지으며

벤야민 : 오어ㅡㅇ어이ㅏㅇ미 너도 이 표정 지어바

* 헬레네 손을 뻗어 벤야민의 볼을 잡아 누른다 벤야민 얼굴 더 찌그러지고

헬레네 : 미친놈 오늘 또 무슨 짓 하려고

벤야민 : 옷벗어 빨리 나가자

* 벤야민 팬티만 걸친 로마 글래디에이터의 복장 헬레네는 브래지어와 끈 팬티 차림새 벤야민이 헬레네의 손을 잡아 끈다

벤야민 : 가자!

번쩍! 우르릉 쾅콰앙! 천둥번개치고
콸콸콸콸콸콸

댓심더. 댓고요... 나중에 이어 쓸게여

106

개그포르노 대본 72

* 태양 내리쬐는 아침 벤야민과 헬레네 과수원 동산에 발가벗은 채 있다

남 : 씨바튜 저기 뱀 일다ㅠ 코브라같나 아 씨발 우리 여기서 섹스하자

여 : 뭐? 코브라? 저거 머야 존나 무서워 야아아아라녕로아ㅓㅇ

남 : 우리 여기가 딱조아 여기 스피노자가 심어논 나무에 아오리 사과 열려 있자나 그리고 저기 뱀 있어 여기가 바로 에덴동산이야 지금 여기가 딱이야

여 : 야!! 닥쳐!! 무섭다고!!!!!! 저거 뱀 아아아러라라나나너어렁

남 : 갠차나 저 뱀을 환영이라 생각해 우리 인생은 꿈과같은 거렜어

여 : 정말 꿈이라해도 넘 무서워 나 저 혓바닥 낼름대는거 봐 야 여기로 기어온다 어허러어허허

남 : 버클리 주교가 한 말을 생각해보면 감각하지 못하는 것은 존재하지 않을 수도 있어 그러니까 눈을 일단 감아

* 벤야민 재빨리 손에 쥐고 있던 귀마개를 헬레네 귀에 꽂아 준다 헬레네 귀가 막힌 채 바로 무릎 꿇고선 눈 똥그랗게 뜨고 벤야민 올려다본다

남 : 눈 감으라고!!! 빨리이이이이이!! 나는 버클리 주교다!!

여 : 뭐? 안들려!!!!!@@

* 갑자기 아오리 사과가 나무에서 툭 떨어져 헬레네의 풍만한 가슴에 부딪힌다

여 : 꺄!!! 이게 뭐야!!! 실리콘에 충격이 왔어!!!

* 벤야민 이마에 손을 짚고 잠시간 고뇌하는 표정... 벤야민이 유레카를 외

치는 동시에 고추가 **빨딱** 선다 고추 서는거 클로즈 업

남 : 너의 그 풍만한 가슴이 느낀 충격량은 바로 아오리 사과의 질량에 부
딪혔을 때의 속도를 곱한 값인데 그거슨 작용하는 힘을 단위시간으로 적
분...

여 : 안들려어어어어!!!! 안들려 안들려 안들려!!! 머라는거야!!!!!! 으아아
아아ㅏㅇ아아아아!!!!!

* 어느새 가까이 다가온 코브라 스프링처럼 튀어오르더니.. 벤야민의 발
기된... 거시기를... 물고...

남 : 으아아라라라ㅏ아아아악!

* 헬레네 깜짝 놀라 눈을 딱 감는다 코브라 벤야민의 성기에 독을 주입하
고 난 이후 숲속으로 유유히 사라지고... 벤야민 헬레네의 귀마개를 **빼** 집
어던지고서 외친다

남 : 씨벌 조나 아파아으으으으웅아아아아 코브라가 내꺼 물고 갔어!!

* 헬레네 눈을 감은 채로

여 : 감각하지 않는 것은 존재하지 않아

남 : 씨버어어ㅗ오왕오어오어없ㄹㄹㄹㄹㄹㄹ 조오오오어나나아나 아프다
고!!!

* 벤야민의 거시기가 퉁퉁 부어올라 피노키오의 거짓말같이 점점...

남 : 야이 시이이이ㅡ이이바려나아허!!!! 입으로 빨리 **빨아**서 독을 **빼**내!!

여 : 우리 인생은 꿈과 같은 것이고 감각하지 못하는 것은 존재하지 않아

남 : 으아아아아나너나어터커ㅜ 누너너누나캬ㅠㅠ 내넌나탸자ㅡ 노터너너
너나!!!!!!! 닥치고 빨리 **빨아**!!!!

댓다 마 다음에 이어 쓸게

西山 너머 해는 지고 1

땅을 기는 개미 한 마리 있었다
개미는 왜 이리 작을까 생각해보는 아이가 있었다
「개미를 발로 밟아선 안돼」
누구인지 기억나지 않는 그 누군가가 아이에게 말했었다
그 소리는 메아리처럼 들려왔다
「절대로 안돼」
그러나 사람의 마음이란건 이리도 움직이고 저리도 움직이는 것이었다
그것이 본디 바람따라 나붓기던 저녁무렵의 갈대는 아니었지만
어느 고을 서산 너머 해는 지고 반짝이는 금빛 모래는
그 빛깔이 金色일 뿐 진정한 금은 아니었다 허나 그것은
그 무엇보다 빛났고 아름다웠다
어디로 가면 될는지... 靑春의 앞에 놓인 그들의 길은
스스로의 힘으로 개척하기엔 너무나 많은 품이 드는 것 같았다

少年易老學難成 소년이로학난성이요
一寸光陰不可輕 일촌광음불가경이라
未覺池塘春草夢 미각지당춘초몽한대
階前梧葉已秋聲 계전오엽이추성이라

소년은 배움 끝에 알게 되었다
火水未濟 卦가 우리 사는 시대를 규정한다는 것을
핵전쟁으로 인류가 절멸할지도 모르는 이 시대
기후위기로 인한 해수면 상승의 위협이 공존했다
소년이 된 아이는 자신이 모든 것을 알지는 못해도
무언가, 무언가를 계속 알고 싶다는 욕동이 있었다
無知의 베일에 싸여 있는 그 色色의 포장지를 벗겨내고 싶었다
사람들이 쓰고 있는 假面 그 페르소나를
개미의 더듬이로 더듬어서 느끼고 배암의 혓바닥으로써 접촉해 알고 싶었
다
한가로운 세월이 흘러 어느 5월의 봄날 인생의 여느 때처럼 땅에는 개미
들의 행렬이 있었다
개미들의 움직임을 두 눈으로 즈려밟던 소년은 곧 이어 자리를 틸고 일어
났다

그 소년이 어디로 향하는지는 그 자신조차 몰랐다
만약 소년에게 운명의 女神이 존재한다면 그녀가 앞으로 그의 길을 인도
하리니
그러니 기억의 여신이여 내게 노래하게 하소서
詩人의 입으로 길이 전할 우리들 마음의 세계 그것은
일체의 모든 것을 비추는 거울이 되리니 여신이여
이 시대의 모든 이들의 마음자리에 내 노래 울려퍼지게 하소서

西山 너머 해는 지고 2

마음은 먼 곳으로 떠났지만 완전히 가버린건 아니었다
그녀의 마음은 저 먼 하늘가 날틀에 올라 世界를 周遊했지만
나는 그늘진 한 자리에 붙어 자라는 알록진 버섯처럼
습지로부터 불어오는 숲의 한적한 한 줄기 바람만을 맞으며
그림자처럼
홀로된 즐거움을 누리고 있었다
詩라는 것은 쓰기보다는 쓰여지는 것이라던 그 누군가의
거짓말을 또다른 누군가는 진실로써 믿어버리고,
자신이 적어내려가는 나약한 글자만을 再參 믿고서 그것을
支柱로 삼아 살아가는 어리석은 生이야 그 어느 누구도
評할 만한 값어치가 없건마는 꿈도 사랑도 없이 사는 하루
名譽 또한 그의 이름과는 거리가 멀고 또 멀었다마는
하늘이 하늘을 바라보면 보이는 건 하늘 뿐,
그 하늘에 흰 구름 두둥실 떠 가면 쪼르릉 쪼르릉 새 소리가
들려왔었다
風塵 世上 인간이 勝利를 거머쥔 이 세상에 두려운 것은
人間 자신 뿐이었다 모든 인간은 죽을 운명을 타고 나고
그 운명을 잊고 산다는 것만이 삶을 누리는 자들이 지닌
가장 큰 特權이었다
누가, 누가, 그 누가 나를 이 길로 인도하였나, 그 누가...
꼭 누구라고 특정할 수 없는 무언가가
人生의 갈림길 앞에 선 수많은 里程表로서
한 방향을 가리키는 指針으로서 豫定된 運命으로 나를 이끌어왔다
어느 마을의 좁은 길로 들어서 그보다 더 좁은 문을 지나
이제는 비어있는 허름한 농가에서 나는 보았던 것이다
먼 곳으로 떠나버린 아침새와 같은 사랑이 그 사랑이
바라보는 하늘과 그 시절 내가 한껏 우러르며 눈물흘렸던
하늘은 한 날 한 시의 동일한 푸르름을 지니고 있었다는 걸
덜 떨어지고 잘 여물지 못한 한 사내아이는 허리춤에
피터 팬의 칼을 차고서는 假相의 뱃놈과 한바탕 힘겨운
씨름을 한다 결코 늙어버릴 수 없는 소년의 판타지의
그 세계는 모든 河川의 물이 흘러들어오는 바다, 바다, 바다,
바닷가 갯마을에 차고 기울며 떴다 지는 달과 同調하여

밀물은 사랑처럼 밀려들고 썰물은 觀客처럼 빠져나간다
갯벌의 潮水야말로, 수없이 방파제를 때리는 波濤야말로
그것의 파장이 부딪치는 곳곳의 곳곳마다 지구의
歷史만큼의 시간을 곱하면 그 無限에 가까운 숫자에
生命 誕生의 神秘가 숨어 있지는 않을까 그렇게 童心의 피터 팬은
생각해 보는 것이었다,
짠내 섞인 바람에 하얗게 부서지는 파도를 보며
乾道成男과 坤道成女로써 萬物이 化生한다는 옛 글귀를
남자는 배 여자는 항구라는 한 가수의 가녀린 목소리와 더불어
떠올려 보기도 하는 것이었다
生命은 아름다우나 동시에 醜하고 맑은 하늘은 푸르를 뿐 말이 없으니
殘忍하디 잔인한 人類의 핏방울 맺힌 피에 젖은 피 흘리는 犧牲 祭儀가
그 하늘 아래서 모두 이루어졌도다 그 모든 것은 누군가의 惡夢...일 뿐이
었으니,
어디선가 갯벌의 어디선가 또다시 핏기 섞인 바닷내음이 불어오기 시작한
다
바다여, 넓은 바다여, 바라옵건대 부디 그대의 드넓은 품 안에 우리들의
罪惡을 숨겨 주시옵고 우리에게 새 생명을 불어넣어 주시옵소서
바다같이 넓은 雅量을 지닌 그대에게 나의 마지막 希望으로 容恕를 비나
이다
오늘도 해는 西便의 작은 섬 봉우리에 뉘엿뉘엿 걸리었고
출렁이는 파도는 언젠가의 일기장에 찍힌 담임선생님의 圖章처럼 불그스
르푸르해졌다